바틱

자바에서 세계로

更紗今昔物語 − ジャワから世界へ−

發行　　　財團法人千里文化財團
責任編輯　吉本忍
編輯　　　國立民族學博物館
ⓒ 2006 國立民族學博物館

This edition first published in Korea in 2012 by Institute for Southeast Asian Studies, Busan University of Foreign Studies, Busan
Korean edition ⓒ Institute for Southeast Asian Studies, Busan University of Foreign Studies

바틱
자바에서 세계로

초판인쇄　2012년 5월 30일
초판발행　2012년 5월 30일

책임편집　요시모토 시노부
편집　　　국립민족학박물관
옮긴이　　고정은
펴낸이　　김재광
펴낸곳　　솔과학

출판등록　제 10−140호 1997년 2월 22일
주소　　　서울시 마포구 염리동 164−4 삼부골든타워 302호
대표전화　02)714−8655
팩스　　　02)711−4656
◉ 이 저서는 2009년 정부 교육과학기술부의 재원으로 한국연구재단의 지원을
　 받아 수행된 결과임.(NRF−2009−362−B00016)

ISBN　　　978−89−92988−75−9
한국어판 ⓒ 부산외국어대학교 동남아지역원, 2012

바틱

자바에서 세계로

요시모토 시노부 책임편집
고정은 역

솔과학
SOLGWAHAK

범례

1. 이 도록은 2006년 국립민족학박물관 특별전 '更紗今昔物語 – ジャワから世界へ(바틱이야기 – 자바에서 세계로)'에 출품된 1,000점이 넘는 전시자료 중에서 정선하여 수록했다.

2. 특별전에서는 프린트 바틱과 자바 바틱을 중심으로 전시되었고, 특별전의 전시해설과 이 도록에서는 '프린트'와 '바틱(更紗)', '프린트 바틱' '자바 바틱', '바틱', '인도 바틱', '사롱'이란 용어가 자주 나온다. 아래에 이들 용어에 대해 설명하였다.

프린트

영어의 'print'를 말하며, 여기서는 일본어의 '날염(捺染)', 혹은 '날염된 천'에 대응하는 말로 사용하고 있다. 프린트, 즉 날염에는 직접 날염법, 색을 빼는 기법(발염법拔染法), 방염법(防染法)의 3종류가 있고, 이 책에 수록되어 있는 작품은 주로 직접 날염법과 방염법을 사용하여 프린트된 천이다. 그 중에서 직접 날염법은 틀을 사용하여 염료를 직접 천에 밀착시켜 염색하는 기법이다. 방염법은 틀을 이용하여 초와 수지와 같은 방염제를 천에 눌러 붙게 한 후 염색하는 기법으로, 천에 초와 수지가 눌러 붙어있는 부분에는 염료가 침투하지 못하고, 다른 부분만 염색이 된다. 밀랍 방염법을 사용한 프린트 기법, 혹은 그런 방법으로 염색한 천은 일반적으로 왁스프린트라고 부르며, 이를 다르게 표현하면, '틀을 사용해서 밀랍붙이기를 하는 날염염색기법', 혹은 '틀을 사용하여 밀랍을 눌러서 무늬를 물들인 천'을 말한다.

사라사

'사라사(更紗)'라는 말은 일본 에도시대에 남만(南蠻)무역이 흥행했을 당시 포르투갈 사람들이 즐겨 쓰던 외래어이다. 일본에서는 원래 남만선과 홍모선(紅毛船)이 무역품으로 가져온 '이국정서 넘치는 디자인으로 염색한 천'이라고 알려졌다. 지금은 인도의 무늬염색은 '인도 바틱', 인도네시아의 자바를 중심으로 이뤄진 날염을 통한 무늬염색은 '자바 바틱'이란 이름으로 알려졌기 때문에, 여기서는 '바틱'을 넓은 의미로 '무늬를 넣어 염색한 천'을 뜻하는 말로서 사용했다. 이 도록에서 바틱으로 표현되는 사라사(更紗)의 어원은 인도네시아 자바의 옛 자바어, '많은 색', 혹은 '모자이크 모양의'란 의미를 가진 '사라사(sarasah)'를 비롯한 여러 설이 있지만 아직 분명하지 않다.

프린트 바틱

'프린트 바틱'이란 여기서는 '프린트, 즉 날염기법을 통해 무늬를 염색한 천'을 의미하는 말로서 사용하고 있다. '프린트 바틱' 보다도 '프린트 천'이라고 하는 편이 일반적이지만, '자바 바틱'과 '인도 바틱'의 통일성을 감안하여, '프린트 바틱'이란 말을 사용했다.

자바 바틱

인도네시아의 자바와 그 주변지역에서 제작해 온 자바어로 깜벤 바틱(kamben batik), 인도네시아어로 까인 바틱(kain batik)이라고 불리는 날염된 천을 말한다. 자바 바틱의 날염기법은 천의 양면에 밀랍을 그려 넣은 후에 천을 염색물에 담근다(浸染). 따라서 자바 바틱의 날염은 천의 양면에 밀랍그리기를 한 것, 그리고 나중에 염색물에 침염시켜 천의 양면이 염색되는 양면염색이 특징이라고 할 수 있다. 밀랍을 그리는 작업에는 주로 수작업을 위한 짠띵 뚤리스(canting tulis, 일반적으로 짠띵이라 부름)라 불리는 밀랍을 넣기 위한 도구와 짠띵 짭(canting cap, 일반적으로 짭이라 부름)이라 불리는 프린트용 밀랍을 넣어 찍는 도구, 즉 스탬프가 사용되었다.

바틱

바틱(batik)은 원래 자바어로 '방염'을 의미하며, 특히 '자바와 그 주변지역에서 일어난 자바 바틱의 날염기법'을 의미하는 용어로 사용되었다. 그러나 20세기 후반부터 'batik'이란 명칭은 날염 자체만을 의미하는 세계 공통어로서 널리 알려졌다. 그러면서 자바 바틱의 디자인을 본뜬 프린트 바틱도 바틱이란 이름으로 많이 불려졌다. 나아가 아프리카에서 사용되는 바틱은 날염뿐만 아니라, 홀치기염색도 바틱으로 불리는 경우가 많아서, 오늘날 바틱의 의미는 세계 각국에서 혼재되어 사용되고 있다.

인도 바틱

인도 바틱은 인도에서 제작해 오던 무늬염색의 면포를 의미한다. 제작기법은 손으로 그려서 염색하기, 목판프린트, 날염, 진흙방염 등 여러 종류이며, 때로는 이들 기법을 섞어서 염색하기도 한다. 인도에서 무늬염색의 천은 대개 깔람까리(kalamakari)란 이름으로 불렸고, 유럽에서는 인도 바틱을 보통 친츠(chintz)라고 불렀다. 그러나 깔람까리와 친츠라는 명칭 속에는 페르시아 바틱이나 그 외의 것도 포함하고 있기 때문에, 반드시 인도 바틱에 한정된 것은 아니다.

사롱

사롱은 길이 2m, 폭 1m 정도의 천의 양끝을 재단하여 내부가 빈 통 모양으로 만든 말하자면 허리에 감는 하의형의 '통형스커트'를 의미한다. 사롱이라는 일본어 명칭은 영어 'sarong'을 전용한 것으로, 그 어원은 말레이시아어의 '사룽(sarung)'이다. 통형 스커트는 자바 바틱의 의상에서도 찾을 수 있지만, 인도네시아에서의 정식명칭 역시 사룽(sarung)이다. 특별전의 전시자료와 이 도록에 수록된 자바 바틱과 프린트 바틱 중에는 통형 스커트가 많이 포함되어 있는데, 여기서는 '사롱'으로 명칭을 통일하였다.

3. 그림의 설명은 번호, 자료명, 용도, 제작기법, 바탕천의 섬유소재, 제작지, 사용처, 수집처, 크기, 소장지의 순서로 기재했다.

- 자바 바틱의 제작기법에서 손으로 그려 넣는 도구를 사용한 것은 '날염(양면밀랍그리기, 양면염색)'이라고 했다. 또 프린트용 밀랍을 그려 넣는 도구(스탬프)를 사용한 것은 '날염(양면왁스프린트/양면밀랍그리기, 양면염색)'이라고 했다.

- 프린트 바틱의 제작기법에서 직접날염기법을 통해 천의 겉면(한쪽 면)에 프린트 한 것은 '겉면프린트(겉면염색)', 천의 양면에 프린트한 것은 '양면프린트(양면염색)'라고 했다. 또 천의 양면에 날염법에 따라 밀랍을 프린트하고, 그 후에 침염을 했을 경우 '양면왁스프린트(양면밀랍그리기, 양면염색)'라고 했다. 날염법에 따른 왁스프린트와 직접날염기법에 따라 겉면프린트를 병용한 것은 '양면왁스프린트(양면밀랍그리기, 양면염색)+겉면프린트(겉면염색)'라고 했다.

- 제작지에서 프린트 바틱에는 상표의 도용과 바탕천의 짜임새 부분에 부실기재가 성행하고 있어서, 상품의 유통단계에서도 제작지와 제작회사명을 정확하게 파악하기 어렵다. 제작지를 알 수 없을 경우에는 '미상'이라고 했지만, 제작지를 추정할 수 있는 경우에는 국명을 쓰고 그 옆에 물음표를 부가해서 그 나라 이름을 기재했다.

- 크기는 기본적으로 (바탕천의 경사 방향의 크기)×(바탕천의 위사 방향의 크기)를 적었다. 또 용도가 사롱일 경우는 (총길이)×(폭)으로 했다.

- 소장처의 경우, 국립민족학박물관의 자료일 경우, 자료번호(알파벳의 H에서 시작하는 6행의 숫자, 혹은 O에서 시작하는 4행의 숫자)만 부기했다.

- 사진촬영 및 제공: 표지와 1~67쪽에 특별한 기재가 없는 경우는 杉浦正和, 그리고 68~130쪽의 사진에 특별한 기재가 없는 경우는 집필자의 사진이다.

인사말

18세기 후반 영국에서 시작한 산업혁명은 서유럽을 거쳐 전 세계로 파급되면서 사회경제에 커다란 혁명을 가져왔습니다. 동력으로 가동하는 기계의 도입을 통해 면으로 만든 실과 천이 대량으로 생산되었고, 이것이 산업혁명을 일으킨 큰 계기가 되었음은 잘 알려진 사실입니다.

그 산업혁명의 연장선상에 있는 현대사회의 양상을 살펴보면, 이번에는 정보기술혁명의 한 가운데에 서 있는 실로 커다란 변혁을 경험하고 있습니다. 그리고 인류가 지금까지 경험하지 못한 속도로 널리 퍼져 모든 국면에서의 글로벌화가 진행되고 있습니다.

이번에 국립민족학박물관에서는 인도네시아의 자바를 중심으로 제작된 자바 바틱에 초점을 맞춰 특별전 '바틱이야기 – 자바에서 세계로–'를 개최합니다. 자바 바틱에 대해서는 이미 1993년에 특별전 '자바 바틱 – 그 다양한 전통의 세계'란 주제로 이미 개최되었습니다. 이때는 자바 바틱의 디자인 소스의 대부분이 사실은 인도·중국·아랍·유럽·일본 등지의 문화와, 힌두·불교·이슬람교 등으로 정리된다는 점을 소개했습니다.

이번 특별전은 그 속편에 해당하는 것으로 산업혁명에서 현대에 이르기까지의 자바 바틱의 디자인과 기술이 놀랄 정도로 글로벌화한 것을 테마로 삼고 있습니다. 특히 관심을 끄는 대목은 수많은 아프리카의 프린트 바틱(아프리카 프린트)이 전시되고 있다는 점입니다. 아프리카의 인류학 연구에 오랜 기간 전념해 왔지만, 아프리카 사람들이 일상적으로 즐겨 입는 선명한 천의 루트가 실은 인도네시아의 자바 바틱이었다는 점에 크게 놀랐습니다. 또 유럽, 일본, 그 외 나라들의 프린트 산업이 아프리카 프린트의 생산과 깊은 관계가 있다는 점도 이번 전시에서 처음으로 알게 된 것입니다.

화려한 디자인과 색체로 구성된 이 특별전을 많이 관람해 주시길 바랍니다. 자바 바틱의 디자인과 기술이 생동감 있게 전개해 온 역사적 배경을 글로벌화의 한 현상으로 파악하고, 우리들이 직면하고 있는 글로벌화에 대한 이해를 심화시킬 수 있는 계기가 되길 기원합니다.

이 특별전이 개최되기까지 일본외무성, 교토조형예술대학, 피에르 부비에(Pierre Bouvier), 에이코 아드난 쿠수마(Eiko Adnan Kusuma), 카데르디나 아지에싹사(Kaderdina Hajee Essak Ltd.), 블리스코사(Vlisco), ABC왁스사(A. Brinnxchweiler & Co.), 텐리문화재단을 비롯해서 많은 기관과 관계자 여러분에게 도움을 받았습니다. 이 자리를 빌어 감사의 인사를 드립니다.

국립민족학박물관장
마쓰조노 마키오

역자 서문

불교미술을 전공한 역자가 공예분야에 속하는 염직물인 '바틱'을 번역하게 된 계기는 동남아라는 새로운 세계로 이끌어 주신 부산외대 동남아지역원장 박장식 교수님 덕분이다. 오로지 불교미술의 길만 걸어온 역자에게 지난 3년 남짓한 기간은 새로운 세계를 접한다는 설렘과 함께 도전의 시기이기도 했다. 동남아시아에서 펼쳐지는 조상활동은 그 동안 역자가 접해 온 동아시아 및 남아시아의 조상활동과는 다른 모습이어서 마치 그 속에 무엇이 들어있을지 전혀 알 수 없는 동남아라는 양파의 껍질을 하나씩 벗겨나가는 과정이었다.

그런 와중에 본 지역원의 HK지원사업 2차년도 제3회 워크숍으로 일본 국립민족학박물관의 요시모토 시노부 교수를 초청하여, '바틱 디자인과 제작기술의 세계화'란 주제로 동남아의 염직세계를 접할 기회가 생겼다. 역자로서도 바틱으로 말미암아 주 전공인 불교미술이 아닌 새로운 시점에서 동남아의 예술세계를 바라볼 수 있는 좋은 기회였다.

인도네시아 자바어인 바틱(Batik)은 전통적으로 밀랍을 이용하여 염색한 천을 의미한다. 2009년 유네스코 인류무형문화유산으로 지정된 인도네시아 바틱은 동남아를 대표하는 상징이기도 하다. 특히 바틱 기술은 오늘날 동남아뿐만 아니라 인도, 일본, 아프리카, 유럽, 호주 원주민에 이르기까지 확산되어 있어 세계 인류의 귀중한 문화유산이기도 하다. 인도네시아 자바에서 시작되었다고 하는 자바 바틱에는 우주관에 관한 지바인의 개념과, 전통적인 색상(남색, 짙은 갈색, 흰색)에 담긴 힌두교의 사상이 내재되어 있다. 여기에 자유분방한 디자인과 다양한 염색기법을 활용하여 완성된 바틱은 놀라울 정도로 정교하고 화려한 예술성의 극치를 보여준다. 일반 서민부터 왕족에 이르기까지, 일상복에서부터 정장차림까지, 각 나라마다 바틱에 대한 취향과 자긍심이 남다르고, 바틱에 표현된 무늬만큼이나 바틱의 활용도는 무궁무진하다. 바틱이라는 한 장의 천에 표현된 디자인과 다양한 염색기법을 통해, 또 무역품으로서의 바틱의 위상을 문화·예술 및 사회·경제적 측면에서도 조망할 수 있는 것이다. 이처럼 아직 국내에서 상세히 소개되지 않은 바틱 연구가 지닌 중요성을 인식하여, 이 분야에서 세계적인 연구업적을 구축한 요시모토 교수의 대표작을 번역 및 출판할 기획을 세운 것이다. 번역작업에는 많은 분들의 도움을 얻었으며 특히 본 지역원 원장님을 비롯하여 연구교수, 연구펠로들의 협력은 큰 힘이 되었다. 그러나 이 책에서 비롯된 잘못은 오롯이 역자의 책임임을 분명히 밝힌다.

끝으로 이 책이 나오기까지 고생하신 출판사 관계자 분들과 아직까지도 물심양면으로 지원해 주시는 부모님께 감사의 마음을 전한다. 이 한권의 역서가 동남아의 문화 및 예술세계를 조금이나마 알릴 수 있다면 다행이겠다.

2012년 봄
고정은

고정은

부산외국어대학교 동남아지역원 HK연구교수로 동아대학교 사학과를 졸업하고, 일본 오사카대학(Osaka University)에서 문학(미술사학) 박사학위를 받았다. 논문으로 "앙코르와트 제1회랑에 나타난 '32지옥도'의 도상특징과 그 의미" 등 다수가 있고, 공동저역서로 『인도미술사』 『간다라에서 만난 부처』 『동남아시아의 불교조각』 등이 있다. (사)한국미술사연구소 책임연구원, 동국대 및 경주대 강사를 역임하였다. 동남아와 인도 불전미술에 관심을 가지고 있으며, 동남아에 미친 인도미술의 영향에 관한 연구를 진행 중이다.

차례

세계에서 자바로

자바 바틱의 디자인으로 본 위대한 배합

요시모토 시노부(국립민족학박물관 교수)

    인도네시아의 자바를 중심으로 제작된 날염된 면포와 비단은 일본에서 자바 바틱이란 이름으로 알려졌다. 또 세계적으로도 바틱(batik)이란 이름으로 유명하다. 자바 바틱은 17세기 이후에 자바의 궁정을 중심으로 발전한 염직물이다. 이들은 자바와 그 주변의 섬에서 주로 전통적인 허리에 감는 스커트, 어깨에 걸치는 천, 머리를 장식한 천(두건), 사롱(통형 스커트/정식명칭은 사롱)과 같은 의상으로 전래되었다.

    자바 바틱에 나타난 무늬는 매우 다양하다. 그것은 마치 만화경을 엿보는 것 같은 착각조차 든다. 바틱 무늬의 디자인 소스는 대부분 고대에서 현대에 이르기까지 오랜 세월 동안 자바에 전파된 동남아시아의 금속기 문화(동썬문화), 인도, 페르시아, 아랍, 중국, 유럽, 일본 등지의 문화와, 힌두교, 불교, 이슬람교 등에서도 찾아볼 수 있다.

    따라서 자바 바틱의 디자인의 독자성은 외부세계에서 자바에 전래된 다양한 종류의 디자인을 적극적이고 자발적으로 받아들여, 날염을 통해 바틱무늬로 재구축했다는 '위대한 배합'으로 대변할 수 있다 [吉本 1993: 132-133]. 그것은 또 자바의 역사적, 종교적, 문화적인 중층성도 상징하는 것이다.

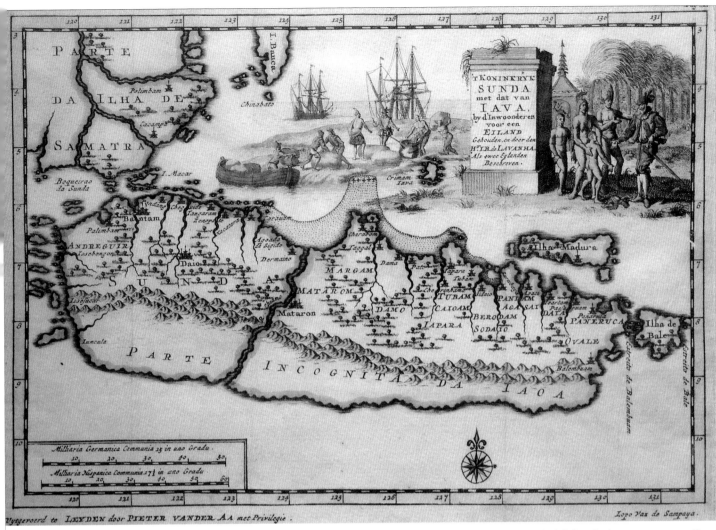

1706년에 제작된 자바의 고지도(Pieter Vander Aa 작)

『동서해륙기행』(Nieuhof, Johan 1682년)의 삽화에 나타난 네덜란드령 동인도
(지금의 인도네시아)의 입구, 바따비아(지금의 자까르따)의 항구

19세기의 리트그라프 "Eene Batikster" (C. W. Mieling 작)에 그려진
짠띵을 이용하여 자바 바틱에 밀랍을 그리는 작업

1 자바 바틱. 허리에 감는 천. 날염(양면밀랍그리기, 양면염색). 면. 인도네시아 자바 족자까르따. 20세기 전반. 345.0×209.6cm, H1855
2 자바 바틱. 허리에 감는 천. 날염(양면밀랍그리기, 양면염색). 면. 인도네시아 자바 라슘. 20세기 전반. 254.8cm×105.2cm, H86712
3 자바 바틱. 손수건. 날염(양면밀랍그리기, 양면염색). 면. 인도네시아 자바 북쪽 해안. 20세기 전반. 45.0cm×42.6cm, H86775
4 자바 바틱. 두건. 날염(양면밀랍그리기, 양면염색). 면. 인도네시아 자바 찌레본. 20세기 전반. 105.0cm×105.3cm, H185605
5 자바 바틱. 가슴가리개. 날염(양면밀랍그리기, 양면염색). 면. 인도네시아 자바 크둔우니. 20세기 전반. 260.0cm×51.4cm, H185495
6 자바 바틱. 어깨에 걸치는 천. 날염(양면밀랍그리기, 양면염색). 면. 인도네시아 자바 크룩. 20세기 전반. 336.0cm×53.0cm, H185706
7 자바 바틱. 사롱. 날염(양면밀랍그리기, 양면염색). 면. 인도네시아 자바 쁘깔롱안. 20세기 전반. 197.2cm×105.7cm, H86693

8 자바 바틱. 허리를 감는 천. 날염(양면밀랍그리기, 양면염색). 면. 인도네시아, 자바 보노사리. 20세기 후반. 249.5cm×102.0cm. H185622

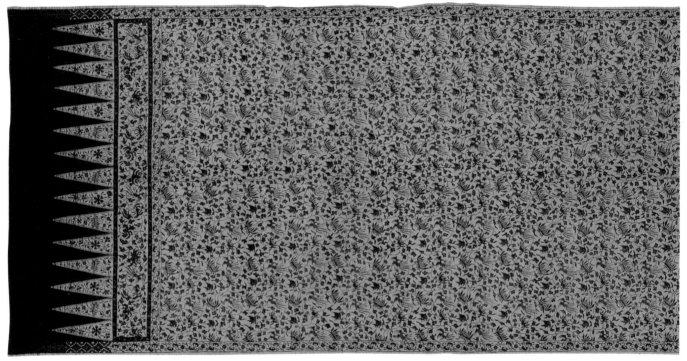

9 자바 바틱. 허리에 감는 천(부분). 날염(양면밀랍그리기, 양면염색). 면. 인도네시아 자바 족자까르따. 20세기 전반. 282.4cm×102/5cm. H185699

10 자바 바틱. 허리에 감는 천(부분). 날염(양면밀랍그리기,
   양면염색). 면. 인도네시아 자바 족자까르따. 20세기 후반.
   259.2cm×106.0cm. H185624

11 자바 바틱. 허리에 감는 천(부분). 날염(양면밀랍그리기,
   양면염색). 면. 인도네시아 자바 족자까르따. 20세기 후반.
   259.2cm×106.0cm. H185624

12 자바 바틱. 가슴가리개. 날염(양면밀랍그리기. 양면염색). 면. 인도네시아 자바 솔로. 20세기 후반. 250.0cm×102.3cm. H67571

13 자바 바틱. 어깨에 걸치는 천(부분). 날염(양면밀랍그리기. 양면염색). 면. 인도네시아 자바 찌레본. 20세기 전반. 241.0cm×89.0cm. H185595

14 자바 바틱/ 프린트 바틱. 사롱. 샘플. 밀랍(양면 왁스프린트/양면밀랍그리기. 양면염색). 면. 인도네시아 자바 북부해안. 1870~90년대.
202.0cm×103.5cm. 부비에 컬렉션

15 자바 바틱. 사롱. 날염(양면밀랍그리기. 양면염색).
면. 인도네시아 자바 쁘깔롱안. 20세기. 201.5cm×104.3cm. H185613

16 자바 바틱. 제단 덮개용 천. 날염(양면밀랍그리기. 양면염색).
면. 인도네시아 자바 찌레본. 20세기. 110.0cm×103.0cm. 아드난 컬렉션
(AL1228)

17 자바 바틱. 사롱. 날염(양면밀랍그리기. 양면염색).
면. 인도네시아 자바 쁘깔롱안. 20세기. 188.0cm×102.0cm. H185615

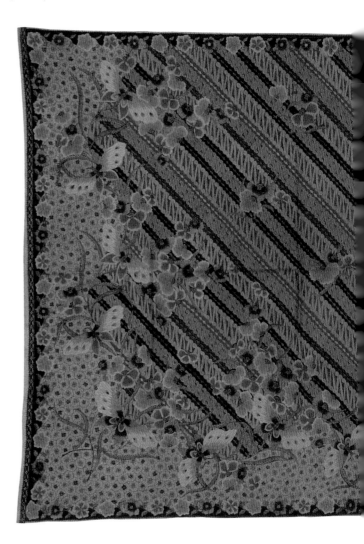

18 자바 바틱. 허리에 감는 천(부분). 날염(양면밀랍그리기. 양면염색). 면. 인도네시아 자바 바탕. 20세기. 253.5cm×104.5cm. H185634

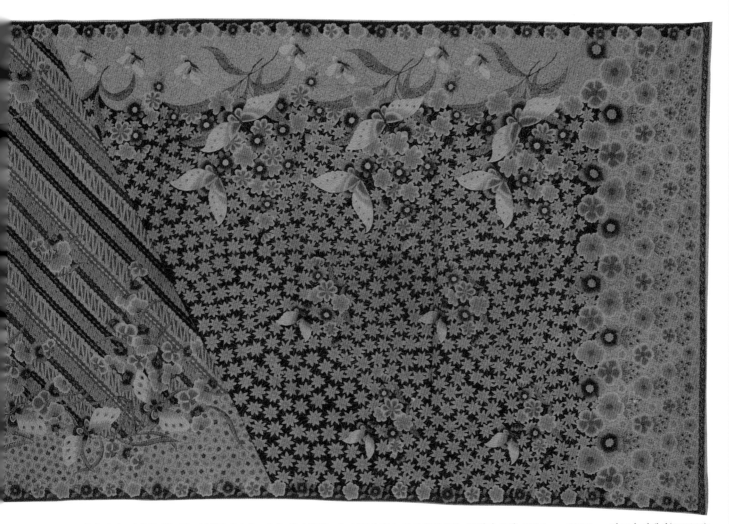

19 자바 바틱. 허리에 감는 천. 날염(양면밀랍그리기. 양면염색). 면. 인도네시아, 자바 쁘깔롱안. 20세기 중엽. 250.0cm×105.5cm. 아드난 컬렉션(SR0364)

자바에서 세계로 1부

자바 바틱을 모방한 근대의 프린트 바틱

요시모토 시노부(국립민족학박물관 교수)

세계에서 자바로 전래된 다양한 디자인을 재구축해서 창작해온 자바 바틱의 디자인은 특히 19세기 후반부터 20세기 전반에 걸쳐 비약적으로 진화했다. 이 디자인은 19세기 전반부터 유럽의 프린트 바틱 속으로 흡수되었고, 새로운 패션 소재로서 자바와 그 주변지역, 아프리카로 수출되었다. 그리고 20세기에 들어서자 일본에서도 똑같은 프린트 바틱이 제작되었고 이들은 자바와 아프리카로 수출되었다.

영국에서 자바로 수출

유럽에서는 17세기에 인도 바틱의 쪽색(藍) 날염기법과 천초(茜草, 꼭두서니) 매염기법이 도입된 것을 계기로 본격적인 프린트 산업이 발흥했다. 그리고 18세기 후반에 영국에서 시작한 산업혁명 중에서 롤러를 사용한 롤러프린트와 함께 동력 직기를 사용한 면의 대량생산이 시작되면서 유럽의 프린트 산업은 한층 발전하였다.

1811년에는 당시 유럽에서 프린트 산업의 선구적인 역할을 담당하고 있던 영국에서 프린트 바틱이 자바의 바따비아(지금의 자까르따)로 전해졌다. 이점에 대해 영국의 통치를 받고 있던 자바에 총독대리로 부임했던 토머스 래플스가 자신의 저서인 『자바사』에 다음과 같이 기술하였다.

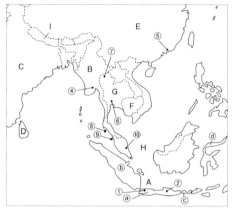

〈유럽〉 A 영국영국 ① 맨체스터
　　　　B 네덜란드 ② 헬몬트
　　　　C 스위스 ③ 글라루스

〈아시아〉
A 인도네시아　a 자바
　　　　　　　　① 자까르따 ② 솔로 ③ 족자까르따
　　　　　　　b 수마뜨라
　　　　　　　c 발리
　　　　　　　d 술라웨시
B 미얀마　　④ 양공
C 인도
D 스리랑카
E 중국　　　⑤ 홍콩
F 캄보디아
G 태국　　　⑥ 방콕 ⑦ 치앙마이 ⑧ 푸껫
H 말레이시아 ⑨ 페낭 ⑩ 끌란딴(Kelantan)
I 네팔

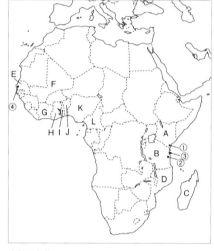

〈아프리카〉
A 케냐　　　① 몸바사
B 탄자니아 ② 다르에스살람 ③ 잔지바르
C 마다가스카르
D 모잠비크
E 세네갈　　④ 다카르
F 말리
G 코트디부아르
H 가나
I 토고
J 베냉
K 나이지리아
L 카메룬

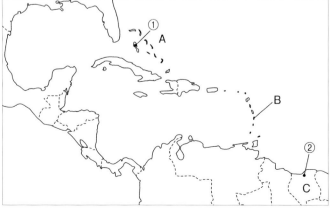

〈카리브 해 국가〉
A 바하마　① 안드로스
B 세인트루시아
C 수리남　② 파라마리보

'현지인과 중국인의 기호에 맞춰 영국에서 프린트된 약간 색다른 무늬와, 흰 면인 케임브릭(cambric, 결이 매우 곱고 얇은 면직물–역자주)은 언제나 대량생산 및 판매가 가능했다. 그러나 프린트 천이 갖는 가장 큰 문제점은 염색 내구성이 매우 떨어진다는 점이다. 이것은 영국의 모든 프린트 바틱이 갖는 결점이다. 자바나 말라야(지금의 말레이 반도) 천을 본뜬 다양한 프린트 바틱이 최근 동인도회사를 통해 자바에 수출되었다. 그리고 처음 판매되었을 때는 매우 좋은 가격대를 형성하였다. 그러나 얼마 지나지 않아 염색 견뢰도(염색이나 착색된 것이 그 후의 가공 등의 외부로부터 받는 영향에 대한 내성, 안정도를 말함–역자주)가 매우 떨어진다는 것을 현지인들이 알아차렸고, 결국 팔다 남은 상품에 대한 수요는 없었다. 이 점은 반드시 개선해야 될 문제로, 인도 전문가의 지도를 받아 염색 견뢰도를 향상시킬 수 있다면, 영국의 산업계는 수출을 더 활성화시킬 수 있을 것이다' [Raffles 1978(1817): 216-217].

유럽, 그리고 일본에서 자바와 그 주변지역으로의 수출

『자바사』에 기술된 프린트 바틱은 실물자료를 확인할 수 없기 때문에 자세히 알 수 없다. 그러나 앞서 기술한 『자바사』를 통해 당시 자바에 자바 바틱이 보급되어 있던 것은 분명하다. 네덜란드의 관리였던 드 흐로트(C. de Groot)가 1822년에 한 보고에는 자바 바틱의 산업에 대한 언급이 있어, 수입된 영국산 프린트 바틱 중에 자바 바틱을 본뜬 것이 분명히 있었음을 알 수 있다. 또 나중에 염색 견뢰도가 매우 떨어진다는 문제점도 서서히 극복되어 프린트 바틱의 시장개척이 적극적으로 진행되었다. 1816년에 자바의 지배권을 회복한 네덜란드와 스위스 등지의 국가에서도 늦어도 1830-40년대에 자바 바틱을 본뜬 디자인을 포함한 다양한 프린트 바틱을 자바로 수출하였다. 그리고 19세기 후반부터 20세기 전반에 걸쳐 자바 바틱을 본뜬 프린트 바틱은 자바뿐만 아니라 수마뜨라, 싱가포르, 양공, 호찌민, 스리랑카 등지의 아시아로 수출되었다. 1910년대부터 일본에서도 프린트 바틱을 자바로 수출했는데, 이들은 앞서 진출한 유럽의 프린트 바틱과 동일하거나 매우 유사한 것이었다.

유럽, 그리고 일본에서 아프리카로 수출

유럽에서 자바로 수출한 프린트 바틱은 1850년부터 역시 아프리카로도 수출되었다 [Picton 1995: 25]. 19세기에 유럽에서 아프리카로 수출된 프린트 바틱에 대한 구체적인 상황은 알 수 없지만, 1890년대에 포르투갈령 동아프리카(지금의 모잠비크)로 수출한 캉가(khanga, 동아프리카에서 흔히 말하는 바틱의 명칭) 중에는 자바 바틱을 본뜬 것이 포함되어 있는 것을 스위스의 부비에 컬렉션 자료를 통해 알 수 있다.

한편, 20세기에 유럽에서 아프리카로 수출된 프린트 바틱은 유럽각지에 남아있는 실물자료(샘플)를 통해 알 수 있다. 이들을 분석해 보면, 20세기 초부터 지금까지 쉽게 구할 수 있는 생활용품을 모티프로 한 사용자의 생각을 반영한 디자인, 즉 키치 디자인(kirsch design)과 에스닉풍의 디자인에서 모두 자바 바틱을 모방한 디자인이 엿보인다. 또 1920년대 후반에는 일본에서도 프린트 바틱을 아프리카로 수출했다. 이들 프린트 바틱의 디자인 또한 자바와 마찬가지로 유럽의 프린트 바틱과 동일하거나 매우 유사한 것이었다.

자바 바틱을 본뜬 프린트 바틱의 디자인

자바와 그 주변지역으로 수출된 자바 바틱을 본뜬 프린트 바틱의 디자인은 자바 바틱의 허리에 감는 하의용 천, 머리를 장식하는 두건, 어깨에 걸치는 천, 사롱 등을 그대로 본뜬 자바 바틱의 모조품이라 부를 수 있는 것과, 주로 중국계 사람을 대상으로 제작된 사롱의 색채와 디자인의 일부를 약간 더한 것으로 크게 구별된다. 다만, 진품인 자바 바틱에서는 밀랍에 균열이 생겨 천에 염료가 스며드는 것을 전통적으로 기피했음에도 불구하고, 자바 바틱의 모조품 중에는 밀랍이 갈라진 곳에 염료가 스며든 것을 직조 조직의 차이로 자연적으로 생기는 천의 무늬와 같이 하나의 디자인으로 받아들인 경우를 자주 볼 수 있다. 이러한 거북의 등처럼 갈라진 무늬는 자바 바틱을 본뜬 모조품의 특징적인 디자인의 요소로 활용되었다. 원래 자바 바틱에는 있을 수 없는 거북등 무늬를 굳이 적극적으로 표현한 데에는 보통 바틱에서 밀랍이 균열되어 그곳으로 염료가 흡수되는 일은 당연히 없어야 하겠지만, 날염이 아닌 프린트 바틱에 실패한 바틱의 천에나 생기는 현상을 일부러 표현함으로서 마치 날염인 것처럼 보이려 한 의도가 있었다고 생각된다. 한편, 자바 바틱을 본뜬 아프리카를 대상으로 한 프린트 바틱은 자바와 그 주변지역으로 수출되었던 것에서 볼 수 있듯이, 자바 바틱을 그대로 본뜬 모조품이라 볼 수 있는 것은 별로 없고, 대부분 어떤 식으로든지 첨가가 되어 있다. 다만, 동아프리카를 대상으로 한 프린트 바틱인 캉가에서 자바 바틱의 디자인이 보이는 것은 20세기 초기까지이며, 그 뒤로는 캉가에서 자바 바틱을 모방한 디자인은 거의 찾아볼 수 없다.

양면염색의 프린트 바틱

19세기에 유럽에서 생산되어 자바와 그 주변지역, 아프리카로 수출된 프린트 바틱은 일반적으로 나무로 만든 오목판이나, 나무 밑에 동판을 집어넣은 볼록판(동판)을 사용한 블록 프린트기법과, 나무나 동제 볼록판의 롤러를 사용한 롤러프린트 기법으로 프린트하였다. 또 자바와 그 주변지역을 대상으로 제작한 프린트 바틱 중에는 천의 양면에 프린트를 한 양면염색이라는 특수한 프린트 바틱이 많이 보인다. 이 양면염색의 프린트 바틱에 대해서는 자바 바틱이 바탕천의 양면에 밀랍으로 무늬를 그린 후, 천을 염색액에 담가서 침염한다는 양면염색이라는 점에서, 시장가치를 높이기 위해 일부러 시간

이 많이 드는 양면염색의 프린트를 시도한 것으로 생각된다.

날염프린트의 프린트 바틱

20세기 초부터 유럽에서는 서아프리카에 롤러프린트 기법을 사용하여 천의 양면에 밀랍을 프린트하고, 침염을 하고 밀랍을 제거한 후에, 천의 한쪽 면에 블록 프린트기법을 사용하여, 침염한 색과는 다른 색이 겹쳐지는 새로운 프린트 바틱을 생산하기 시작했다. 아프리카의 프린트 바틱 중에서 이처럼 밀랍을 프린트한 것은 일반적으로 왁스프린트(wax print)라 불린다. 이들이 곧 날염의 프린트 바틱이다. 그 제작기법은 기본적으로 짭(cap)이라는 자바 바틱의 밀랍의 프린트용 스탬프를 사용한 날염프린트처럼, 롤러프린트 기법을 사용하여 기계화한 왁스프린트의 생산은 네덜란드에서 자바 바틱의 짭을 사용한 날염기법을 응용하여 시작했을 것이다. 또 짭은 1840년대에 시작되었다고 볼 수 있다 [Veldhuisen 1996: 42]. 이는 자바 바틱을 본뜬 유럽의 프린트 바틱의 유입에 따라 촉발된 자바 바틱 업계가 아마도 유럽 혹은 인도의 블록 프린트기법에서 힌트를 얻어 도입했을 것이며, 유럽이 자바로 수출한 프린트 바틱은 자바 바틱 중에서 새로운 날염의 프린트 바틱을 출현시켰을 가능성이 매우 크다. 이와 같은 점은 궁전을 중심으로 발전해 온 자바 바틱이 대중화로 진개되는 세기가 되었고, 짭의 도입에 따른 자바 바틱의 보급품, 즉 날염의 프린트 바틱의 대량생산이라는 자바 바틱 산업의 발전을 가져왔다고 볼 수 있다.

스위스 글라루스에 위치한 다니엘 제니사의 목판 블록 프린트 작업 풍경(1895년). (Danial Jenny & Co. 제공)

다니엘 제니사의 동판 프린트 작업장 풍경(1905년). (Danial Jenny & Co. 제공)

네덜란드 헬몬트에 있는 블리스코사의 1920년대 부감도 (Vlisco 제공)

블리스코사의 목판 블록을 사용한 프린트 작업 풍경(1954년) (Vlisco 제공)

영국의 맨체스터 교외에 있는 ABC왁스사의 롤러프린트 기계를 사용한 왁스프린트 생산(1925년) (A. Brunnshweiler & Co. 제공)

부비에 컬렉션으로 본 동남아시아, 아프리카를 대상으로 한 프린트 바틱

부비에 컬렉션은 스위스 중동부의 린트 강 근처의 글라루스 마을에서 1840년부터 1930년에 걸쳐 생산된 다양한 종류의 프린트 바틱을 중심으로 한 피에르 부비에(Pierre Bouvier) 소장의 컬렉션이다. 이것은 글라루스에서 가족이 경영하던 바소롬 제니 프린트 회사(Druckerei Bartholome Jenny & Cie.)의 엔지니어로서 염색부분을 담당했던 부비에의 고조부, 아돌프 제니 트럼피(Adolf Jenny Trümpy) 박사(1855-1941)가 수집하고 분류한 것이다. 컬렉션의 숫자는 확실하지 않지만, 대체로 1,000점 이상의 크고 작은 다양한 종류의 프린트 바틱와, 24권에 달하는 프린트 바틱의 샘플 책이 포함되며, 대부분의 프린트 바틱에는 개별적으로 염료, 프린트 기법, 제조지, 제조년, 수출지 등이 자세히 기술되어 있다. 이 컬렉션 중에는 자바와 그 주변지역의 주로 동남아시아 대상의 프린트 바틱 샘플 책 "Batik"과 동아프리카와 서아프리카 대상의 프린트 바틱 샘플 책 "Ost & West Afrika"가 각각 2부씩 있고, 이 외에 300점 남짓한 다양한 사이즈의 프린트 바틱이 있다. 이들은 자바와 그 주변지역, 동아프리카와 서아프리카를 대상으로 한 프린트 바틱의 역사적인 전개를 파악하는 데에 매우 중요하고 희귀한 실물사료이다.

부비에 컬렉션의 샘플 책

부비에 컬렉션의 샘플 책을 편찬한
아돌프 제니 그럼피박사(1855-1941년).
(Daniel Jenny & Co. 제공)

동남아시아를 대상으로 한 프린트 바틱

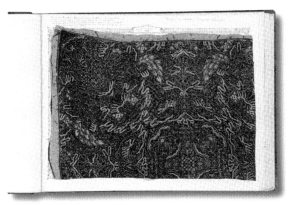

20 샘플 책 "Batik"에 첨부된 자바를 대상으로 한 프린트 바틱(허리에 감는 천) 단편샘플. 양면프린트(양면염색). 면. 스위스 글라루스. 1845-60년. 46.0cm×33.0cm. 부비에 컬렉션

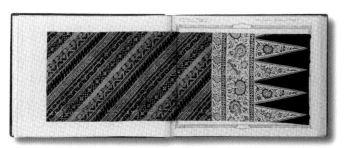

21 샘플 책 "Batik"에 첨부된 프린트 바틱(어깨에 걸치는 천) 단편샘플. 겉면프린트(겉면염색). 면. 스위스 글라루스. 1860-90년. 87.5cm×29.0cm. 부비에 컬렉션

22 샘플 책 "Batik"에 첨부된 프린트 바틱(사롱) 단편샘플. 겉면프린트(겉면염색). 면. 스위스 글라루스. 1900년. 75.0cm×30.0cm. 부비에 컬렉션

23 프린트 바틱(사롱) 샘플. 겉면프린트(겉면염색). 면. 스위스 글라루스. 1910-20년. 168.0cm×100.0cm. 부비에 컬렉션

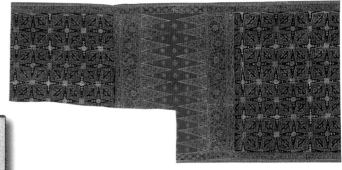

24 프린트 바틱(어린이용 사롱) 단편샘플. 겉면프린트(겉면염색). 면. 네덜란드?. 제작연대 미상. 153.0cm×72.5.0cm. 부비에 컬렉션

25 자바를 대상으로 한 프린트 바틱(어깨에 걸치는 천). 샘플. 겉면프린트(겉면염색). 면. 스위스 글라루스. 제작연대 미상. 268.0cm×53.0cm. 부비에 컬렉션

26 구 네덜란드령 동인도(현 인도네시아)를 대상으로 한 프린트 바틱(두건).
샘플. 겉면프린트(겉면염색). 면. 스위스 글라루스. 1910-20년대.
90.0cm×89.0cm. 부비에 컬렉션

27 구 네덜란드령 동인도(현 인도네시아)를 대상으로 한 프린트 바틱(두건).
샘플. 겉면프린트(겉면염색). 면. 스위스 글라루스. 제작연대 미상.
90.0cm×89.0cm. 부비에 컬렉션

28 프린트 바틱(사롱). 샘플. 겉면프린트(겉면염색). 면. 스위스 글라루스. 제작연대 미상. 174.0cm×93.5cm. 부비에 컬렉션

29 자바 쁘깔롱안을 대상으로 한 프린트 바틱(사롱). 샘플. 겉면프린트(겉면염색).
면. 스위스 글라루스. 1909년. 205.0cm×106.0cm. 부비에 컬렉션.

동아프리카를 대상으로 한 프린트 바틱

30 샘플 책 "Ost & West Afrika"에 첨부된 구 포르투갈령 동아프리카
(현 모잠비크)를 대상으로 한 프린트 바틱(캉가) 조각샘플. 겉면프린트(겉면염색).
면. 스위스 글라루스. 1904년. 61.5cm×33.0cm. 부비에 컬렉션

31 구 포르투갈령 동아프리카(현 모잠비크)를
대상으로 한 프린트 바틱(캉가) 단편샘플.
겉면프린트(겉면염색).
면. 스위스 글라루스. 1890년.
181.0cm×121.0cm. 부비에 컬렉션

32 포르투갈령 동아프리카(현 모잠비크)를
대상으로 한 프린트 바틱(캉가) 단편샘플.
겉면프린트(겉면염색).
면. 스위스 글라루스. 1904년.
171.0cm×121.0cm. 부비에 컬렉션

33 구 포르투갈령 동아프리카(현 모잠비크)를 대상으로 한 프린트 바틱(캉가) 단편샘플. 겉면프린트(겉면염색). 면. 스위스 글라루스. 1900년. 92.0cm×126.0cm. 부비에 컬렉션

34 구 포르투갈령 동아프리카(현 모잠비크)를 대상으로 한 프린트 바틱(캉가) 단편샘플. 겉면프린트(겉면염색). 면. 스위스 글라루스. 1904년. 177.0cm×120.0cm. 부비에 컬렉션

35 구 포르투갈령 동아프리카(현 모잠비크)를 대상으로 한 프린트 바틱(캉가) 단편샘플. 겉면프린트(겉면염색). 면. 스위스 글라루스. 1904년. 178.0cm×121.0cm. 부비에 컬렉션

36 구 포르투갈령 동아프리카(현 모잠비크)를 대상으로 한 프린트 바틱(캉가) 단편샘플. 겉면프린트(겉면염색). 면. 스위스 글라루스. 1900년. 176.0cm×128.0cm. 부비에 컬렉션

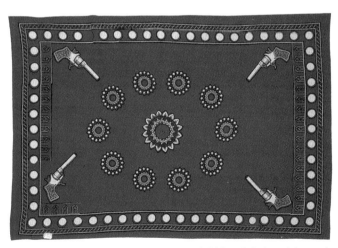

37 구 포르투갈령 동아프리카(현 모잠비크)를 대상으로 한 프린트 바틱(캉가) 단편샘플. 겉면프린트(겉면염색). 면. 스위스 글라루스. 1904년. 183.0cm×121.0cm. 부비에 컬렉션

서아프리카를 대상으로 한 프린트 바틱

38 프린트 바틱(옷감). 샘플. 겉면프린트(겉면염색).
면. 스위스 글라루스. 1904년.
98.0cm×120.0cm. 부비에 컬렉션

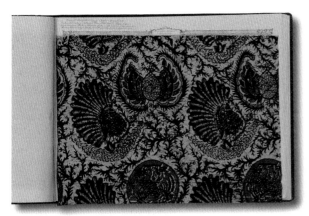

39 샘플 책 "Ost & West Afrika"에 첨부된 프린트 바틱. 단편샘플.
겉면프린트(겉면염색). 면. 스위스 글라루스. 1910년대.
49.0cm×35.0cm. 부비에 컬렉션

40 프린트 바틱(손수건?). 샘플. 겉면프린트(겉면염색).
면. 스위스 글라루스. 1910~20년대.
90.0cm×88.0cm. 부비에 컬렉션

41 프린트 바틱(허리에 감는 천?). 샘플. 겉면프린트(겉면염색). 면. 스위스 글라루스. 1910~20년대. 264.0cm×107.0cm. 부비에 컬렉션

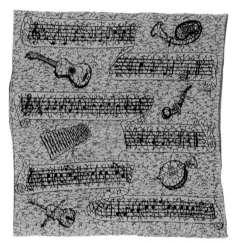

42 프린트 바틱(손수건). 샘플. 겉면프린트(겉면염색). 면. 스위스 글라루스. 1903년. 90.0cm×90.0cm. 부비에 컬렉션

43 프린트 바틱(손수건). 샘플. 겉면프린트(겉면염색). 면. 스위스 글라루스. 1903년. 92.0cm×90.0cm. 부비에 컬렉션

44 프린트 바틱(손수건?). 샘플. 겉면프린트(겉면염색). 면. 스위스 글라루스. 1910년. 90.0cm×90.0cm. 부비에 컬렉션

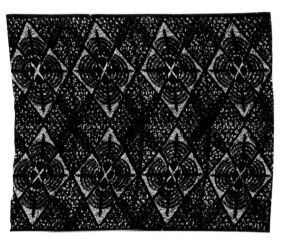

45 프린트 바틱(옷감). 샘플. 양면왁스프린트 (양면밀랍그리기, 양면염색)+겉면프린트(겉면염색). 면. 스위스 글라루스. 1910~20년대. 113.5cm×90.0cm. 부비에 컬렉션

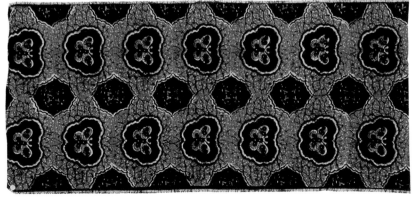

46 프린트 바틱(옷감). 샘플. 양면왁스프린트 (양면밀랍그리기, 양면염색)+겉면프린트(겉면염색). 면. 스위스 글라루스. 1910년. 200.0cm×92.0cm. 부비에 컬렉션

카데르디나 컬렉션으로 본
동아프리카에 전래된 프린트 바틱

카데르디나 컬렉션은 케냐 최대의 항만도시이자 인도양에 접한 몸바사에서 프린트 바틱의 수입과 판매를 담당했던 카데르디나 아지 에싹사(Kaderdina Hajee Essak Ltd. 1887년 창업)가 소장했던 프린트 바틱의 샘플이다. 1920년대 이후에 지금의 케냐 령 몸바사와 탄자니아 령 잔지바르, 다르에스살람 등에서 독일, 일본, 홍콩, 중국에서 보내온 캉가와 키텐게(kitenge)라는 동아프리카 수출용의 프린트 바틱, 20세기 후반에 케냐와 탄자니아의 프린트 회사에서 제작한 캉가 등의 샘플이다. 키텐게의 샘플 중에는 특히 자바 바틱의 디자인을 모방한 날염의 프린트 바틱(왁스프린트)이 다수 발견되었다. 또 일본의 샘플은 1950년대부터 70년대에 걸쳐 몸바사로 보내진 것으로, 그 중에는 면 이외에 레이온(rayon, 인조견사)을 섬유소재로 한 것도 있다. 또 보내온 곳이 오사카의 The H. Nishizawa Shoten, Ltd.(西澤八三郎商店, 지금의 니시자와 주식회사), Kitagawa Kabushiki Kaisha(北川株式会社), Kawamura & Co., C. Itoh & Co., Ltd.(伊藤忠商事株式會社), Mimoto & Co., 고베의 Mengyo Company 등 모두 일본 간사이 지역의 기업임을 알 수 있다.

일본에서 케냐의 몸바사로 수출된 1960년대의 캉가에 사용된 상표

1887년에 창업한 카데르디나 아지 에싹사의 직매점: 케냐 몸바사 (ⓒ요시모토 시노부)

47

48

49

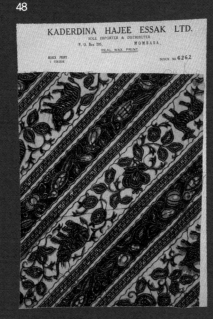

50

51

52

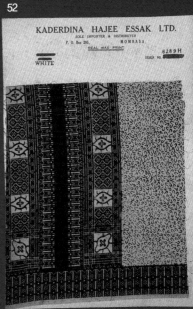

47-52 카데르디나 아지 에싹사가 1963년경에 수입한 프린트 바틱(옷감). 샘플

47-51: 양면왁스프린트(양면밀랍그리기, 양면염색)+겉면프린트(겉면염색). 면. 유럽? 1958년. 46,0cm×31,4cm(밑 종이 크기). 카데르디나 컬렉션

52: 양면왁스프린트(양면밀랍그리기, 양면염색) 면. 유럽? 1958년. 46,0cm×31,4cm

53

54

55

53-55 몸바사의 스미스 멕켄지사가 수입한 프린트 바틱(캉가) 단편샘플. 겉면프린트(겉면염색).

면. 일본(大阪, 西澤八三郎商店). 1958년. 42,5cm×31,5cm(밑 종이 크기). 카데르디나 컬렉션

옛 네덜란드령 동인도
(지금의 인도네시아)에 전래된 프린트 바틱

19세기 초, 영국에서 자바로 프린트 바틱이 수입되기 전에, 자바와 주변 섬에는 인도에서 프린트 바틱이 다량으로 들어왔다. 이들은 보통 인도 바틱으로 알려져 있는데, 자바와 주변 섬에서는 지배계층의 권위를 나타내는 등 의상뿐만 아니라 상징물로 통용되었다. 다만, 인도에서 들어온 프린트 바틱의 디자인은 대개 자바와 주변 섬에서 짠 이카트(ikat, 직물에 무늬를 넣는 직조기법)와 송케트(songket, 무늬가 들어있는 직물) 등의 디자인을 모방한 것이었다. 한편, 19세기 초 무렵부터 유럽에서, 그리고 그 후에 일본에서 들어온 것으로 보이는 프린트 바틱은 대개 자바 바틱을 모방한 것이었다. 다만, 그 중에는 정품인 자바 바틱과 구분하기 어려울 정도의 모조품과, 색체와 디자인에 약간의 배합을 넣어 원래의 것보다 취향이 약간 달라진 것도 있다. 그 밖에 옛날부터 자바와 주변 섬에 들어온 인도 바틱을 본뜬 것, 캄보디아의 이카트를 본뜬 것, 주로 유럽에 보급되어 있던 것, 인도네시아 동부 술라웨시 섬의 트라자 사람들을 대상으로 제작된 트라자의 디자인을 배합한 것 등 다양한 프린트 바틱의 존재를 찾아볼 수 있다.

마을의 Ny 디아스띠(왼쪽) 할머니가 예전에 입었던 유럽산으로 추정되는 프린트 바틱을 재단하여 만든 밑단이 뚫린 스커트용. 인도네시아 발리 뚱아난 (ⓒ요시모토 시노부, 2005)

전통예능 바롱 랜둥의 인형(왼쪽)에 착용한 유럽산이라 추정되는 프린트 바틱. 인도네시아 발리 뎀파사르 (ⓒ요시모토 시노부, 1982)

56 프린트 바틱. 사롱(부분). 겉면프린트(겉면염색). 비단 유럽? 자바 바따비아(지금의 자까르따). 20세기 전반. 178cm×105cm. H236481 ▶

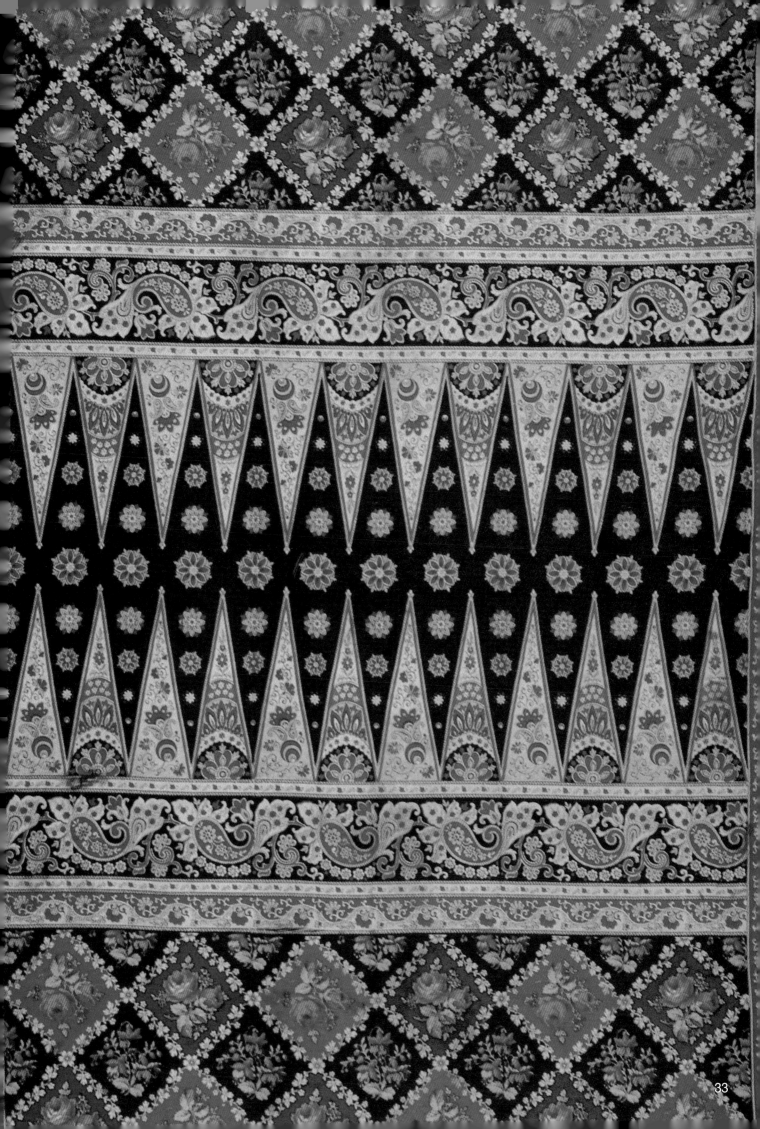

57 프린트 바틱. 가슴가리개/어깨에 걸치는 천(부분). 겉면프린트(겉면염색). 면. 유럽? 발리. 19세기 후반−20세기 전반.
212.0×72.0cm. H235843

58 프린트 바틱. 가슴가리개/어깨에 걸치는 천(부분). 양면프린트(양면염색). 면. 유럽? 발리. 19세기 후반−20세기 전반.
188.0×83.0cm. H235836

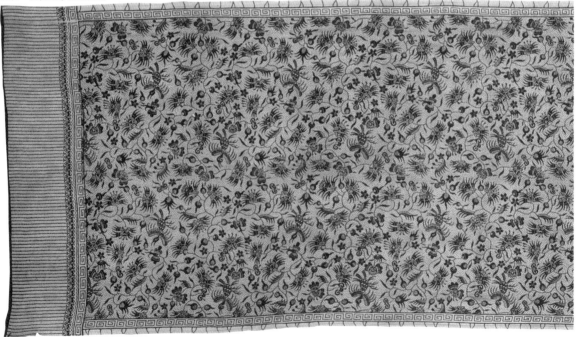

59 프린트 바틱. 가슴가리개/어깨에 걸치는 천(부분). 겉면프린트(겉면염색). 면. 유럽? 발리. 19세기 후반−20세기 전반.
280.0×60.0cm. H235816

61 프린트 바틱. 사롱. 겉면프린트(겉면염색). 비단. 일본? 칼리만딴 폰티아낙.
19세기 후반–20세기 전반. 212.0×72.0cm. H235821

60 프린트 바틱. 가슴가리개/어깨에 걸치는 천(부분). 겉면프린트(겉면염색).
면. 유럽? 수마뜨라 란뿐. 19세기 후반–20세기 전반.
252.0×84.0cm. H235823

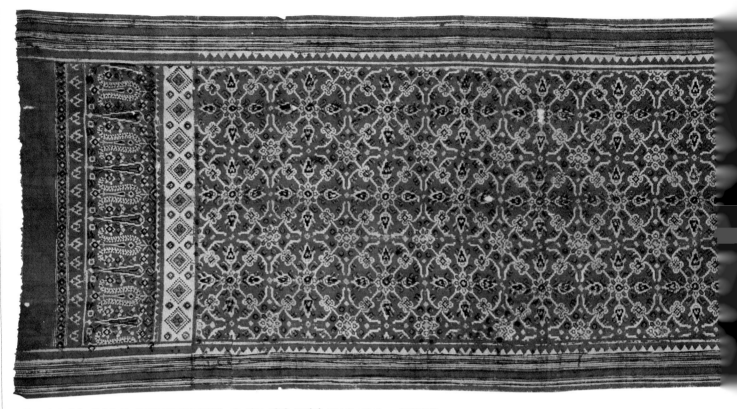

62 프린트 바틱. 의례용 천. 겉면프린트(겉면염색). 면. 인도. 발리. 19세기. 254.0×89.6cm. H185549

63 프린트 바틱. 사롱. 겉면프린트(겉면염색). 면. 유럽? 수마뜨라 란뿐. 20세기 전반. 160.0×109.0cm. H235838

64 프린트 바틱. 의례용 천(부분). 겉면프린트(겉면염색). 면. 네덜란드(블리스코). 술라웨시 타나 드라자. 1900년대. 618.0×34.0cm. H235824

65 프린트 바틱. 밑단이 뚫린 스커트용. 겉면프린트(겉면염색).
면. 유럽? 발리 똥아난. 20세기 전반. 120.0×122.0cm. H236464

66 프린트 바틱. 손수건. 겉면프린트(겉면염색). 면. 유럽? 바자 바따비아(현 자까르따). 20세기 전반. 72.5x73.0cm. H236477

자바에서 세계로 2부

아프리카와 아시아에서 보이는 현대의 프린트 바틱

요시모토 시노부(국립민족학박물관 교수)

19세기 초에 영국에서 생산된 프린트 바틱이 자바로 수출된 이후, 200년 가까운 세월이 흘렀다. 그동안 세계 여러 민족을 통해 계승되어 온 다양한 전통적 염직기법의 대부분은 산업혁명을 시작으로 하는 기계화와 이에 동반한 대량생산이라는 실로 혁신적인 시대의 물결 속에서 어떤 것은 소멸하고 또 쇠퇴해 갔다.

이러한 변화무쌍한 시대의 흐름 속에서 18세기 후반의 산업혁명 이후 유럽에서 비약적인 발전을 이룬 프린트기술은 오늘날 전 세계로 파급되었다. 그 결과, 다양한 프린트기법을 통해 무늬를 넣어 염색한 천, 즉 프린트 바틱은 현대사회에 빠질 수 없는 텍스타일로서 세계각지에서 유행하고 있다. 그 중에서 자바 바틱의 다양한 디자인은 자바와 그 주변지역의 아시아 및 아프리카에서 패션소재로 유통되고 있는 현재의 프린트 바틱 속에서 확고한 자리를 차지하였고, 자바 바틱의 디자인의 글로벌화는 새로운 진전을 보이고 있다.

드레스와 세트인 두건을 묶는 마담 S. 자따(Diatta). 세네갈 다칼 (ⓒ요시모토 시노부. 2005)

프린트 바틱이 쌓여있는 전문매장. 말리 바마코 (ⓒ요시모토 시노부, 2005)

자바 바틱의 쇠퇴와 동남아시아의 신흥 프린트 산업

유럽에서 자바로 자바 바틱을 본뜬 프린트 바틱의 수출은 1840년대에 짭(cap)의 수출에 따른 자바 바틱의 대량생산과 더불어 자바 바틱이 대중화되는 기회를 얻었다. 그러나 유럽과 일본에서 들어오는 프린트 바틱의 유입은 점점 자바 바틱 산업을 압박하였다. 자바 바틱에 대한 외압은 제2차 세계대전 후에 일본산 프린트 바틱이 유럽산 프린트 바틱을 능가하게 되는 시점에서 최고조에 도달했고, 1950년대 후반에는 독립한지 얼마 안 되어 인도네시아 정부가 자바 바틱 산업의 보호를 목적으로 이를 본뜬 프린트 바틱의 수입금지 조치를 발령하였다 [笠井 1960: 193]. 그

프린트 바틱의 사롱을 착용한 여성들. 캄보디아 시엠립 (ⓒ요시모토 시노부, 2006)

아프리카를 대상으로 한 왁스프린트를 비롯한 바틱을 생산하고 있는 중국 산동정의방직집단유한공사 공장. 중국 산동성 임절 (ⓒ요시모토 시노부. 2006)

결과, 유럽과 일본에서 들여오던 프린트 바틱은 자취를 감추었다. 그러나 1970년대가 되자, 자바에서 새롭게 자바 바틱을 본뜬 프린트 산업이 대두하였고, 자바 바틱 업계에서도 점점 자바 바틱과 이를 모방한 직접날염기법을 사용한 프린트 바틱 산업을 병행하려는 기업이 증가하였다. 그리고 1990년대 후반에는 드디어 자바 바틱이 프린트 바틱을 압도했다. 이점은 자바 바틱의 중요한 생산지였던 자바 중부의 솔로에서 자바 바틱의 대형 판매처로 알려졌던 크레웰 시장마저도, 1995년경부터 취급하던 상품의 대부분을 자바 바틱을 본뜬 프린트 바틱으로 대체한 점에서 분명히 알 수 있다. 또 자바 바틱을 본뜬 프린트 바틱의 생산은 예전에는 오로지 면포뿐이었다. 그러나 최근에는 면포보다 저렴하고, 보기에 비단과 유사한 느낌을 풍기는 폴리에스테르 천의 수요가 급격히 증대하고 있다.

한편, 동남아시아의 대륙부에서도 1970년대 이후에 프린트 산업이 발흥하여, 태국과 말레이시아에서는 자바 바틱의 꽃다발 무늬의 사롱을 모방한 프린트 바틱이 대량으로 생산되었다. 오늘날 이들은 인도네시아산의 동일한 프린트 바틱과 함께, 베트남을 제외한 동남아시아의 대륙부 국가와 네팔 등에서 여성들의 일상복이나 정장용으로 폭넓게 보급되어 있다. 또 인도네시아와 태국에서는 아프리카를 대상으로 한 바틱도 생산하고 있다. 그 중에서 인도네시아에서는 오로지 자바 바틱을 본뜬 프린트 바틱을 수출하고 있다. 태국에서는 자바 바틱을 모방한 디자인뿐만 아니라, 아프리카에서 유통하고 있는 키치 디자인과 아프리카적인 에스닉풍의 디자인 등을 모방한 다양한 프린트 바틱을 수출하고 있다.

신구의 노력이 교차하는 현대 아프리카의 프린트 산업

제2차 세계대전 후에 독립한 아프리카의 국가에서는 외국자본과 기술의 도입에 따라 새롭게 프린트 산업이 발흥하였고 프린트 바틱의 생산이 시작되었다. 그렇게 되자 지금까지 아프리카에 프린트 바틱을 수출하고 있던 유럽기업들은 20세기 후반부터 아프리카시장에서 철수하였고, 1920년 후반에 시작된 일본에서의 수출도 1980년대 전반에 중단되었다. 이런 상황 속에서 유럽에서 아프리카에 아직까지 프린트 바틱을 수출하고 있는 곳은 네덜란드의 헬몬트에 본사가 있는 1846년에 창업된 블리스코(Vlisco)사와 영국의 맨체스터 근교에 본사가 있는 1908년 이래 왁스프린트를 생산하고 있는 ABC왁스사(A. Brunnschweiler & Co.) 등 두 곳만 남아 있다. 이들이 생산하는 왁스프린트는 현대 아프리카의 프린트 바틱 중에서 최고급 브랜드 상품으로 유통되고 있다. 이와 같은 현대 아프리카의 프린트 바틱 시장에는 20세기 후반 이후부터 새롭게 중국, 인도, 태국, 인도네시아 등지에서 생산된 프린트 바틱이 대량으로 들어왔다. 이들 신흥세력 중에서 특히 중국이 매서운 기세로 추적하고 있는데, 아프리카의 프린트 회사 중에는 중국의 프린트 바틱과 경쟁하는 도중에 조업중단 조치를 받거나, 중국자본과의 합병회사로 이전하는 사례가 급증하고 있다. 그리고 앞서 영국의 ABC왁스사도 1992년에 홍콩에 본사를 둔 중국계 회사인 차 그룹(調氏紡織集團)에 병합되었다. 또 태국과 인도네시아에서 아프리카로 프린트 바틱을 수출하던 대다수의 프린트 회사도 화인들이 경영하고 있다. 따라서 현대 아프리카의 프린트 바틱 시장은 동남아시아의 프린트 바틱 시장과 함께 중국 혹은 중국계의 자본이 압도적 우위를 차지하고 있는 상황이다.

아프리카를 대상으로 한 왁스프린트의 날염기법

20세기 초부터 네덜란드에서 시작한 왁스프린트의 생산기법은 자바 바틱의 짭(Cap, 스탬프)을 사용한 수작업을 통한 '밀랍의 형틀 찍기'라는 프린트기법을 롤러프린트 기법으로 바꿔서 기계화한 것이다. 다만, '자바에서 세계로 1부'에서 기술한 것처럼, 원래 짭은 자바 바틱을 본뜬 유럽의 프린트 바틱의 유입을 통해 시작된 자바 바틱 업계가 1840년에 유럽, 혹은 인도의 블록 프린트용 목판 블록에서 힌트를 얻어 도입했다고 생각된다.

그리고 짭을 사용한 자바 바틱의 날염과, 아프리카의 프린트 바틱 중에 나타나는 왁스프린트 기법에 의한 날염과의 사이에는 마치 캐치볼처럼 역사적으로 밀접한 관계가 있다고 생각된다. 또 네덜란드에서 20세기 초에 개발된 롤러프린트 기법에 의한 왁스프린트의 생산 공정에서는 회전하는 2개 1조의 롤러 사이를 천이 통과할 때마다 밀랍이 천의 겉과 안쪽 면에 동시에 프린트되는 것으로, 동판을 코팅한 2개의 롤러의 표면에는 거울을 보듯 뒤집힌 문양이 새겨져 있다.

네덜란드의 블리스코사와 영국의 ABC왁스사에서는 지금도 이러한 롤러프린트 기법을 이용하여 왁스프린트를 생산하고 있으며, 이들과 연관을 맺은 아프리카의 프린트 회사에서도 동일한 롤러프린트 기법으로 왁스프린트를 생산하고 있다. 또 근년 중국에서 시작된 아프리카 대상의 왁스프린트의 생산 공정에서는 원통형의 스크린을 사용한 로터리 스크린 프린트기법을 채용하고 있다.

아프리카의 프린트 바틱

현재 아프리카의 프린트 바틱은 서아프리카를 중심으로 전개되어 온 프린트 바틱과, 동아프리카와 마다가스카르에만 보급된 프린트 바틱으로 크게 구별된다. 일본에서는 이들을 아프리카 프린트란 이름으로 불렀는데, 서아프리카를 중심으로 왁스프린트와 팬시프린트(fancy print)로 불리는 두 종류가 있다. 왁스프린트는 천의 양면에 밀랍을 프린트한 뒤에 침염을 한 날염기법을 사용한 양면염색을 말한다. 그리고 팬시프린트는 천의 한쪽 면, 즉 겉면에 염료를 직접 프린트한 겉면염색을 말한다. 품질은 왁스프린트 쪽이 훨씬 뛰어나며 고급품이다. 팬시프린트는 가격이 저렴한 보급품으로 유통되고 있다. 이들은 모두 연속무늬의 천으로, 1착에 6야드, 혹은 4야드의 천이 두 장에 한 조로 판매된다. 주요한 디자인으로 자바 바틱을 모방한 디자인, 키치 디자인, 에스닉풍의 디자인처럼, 19세기말이나 20세기 초에 가장 잘 나가는 디자인으로 성장했으며, 그 밖에 20세기 전반부터 새롭게 등장한 초상을 모티프로 한 디자인, 종교적인 디자인, 기념일과 캠페인 성향이 강한 디자인 등이 있다. 한편, 동아프리카와 마다가스카르에만 보급되던 바틱은 캉가라고 불렸다. 이들은 겉면염색으로, 1.75야드 정도의 두 장의 천을 한 조로 해서 허리와 상반신을 감는 천으로 판매되었다. 디자인의 특징은 외연부에 네모의 플레임이 나타나는 것으로, 플레임의 안쪽에는 동아프리카에서는 기하학적인 디자인, 마다가스카르에서는 풍경을 나타낸 디자인이 일반적이다. 또 중앙부에서 조금 아래쪽에는 속담과 같은 메시지를 표현하였는데, 동아프리카에서는 스와힐리어, 마다가스카르에서는 말라가시어로 나타냈다.

시장에서 물건을 구입하는 프린트 바틱을 착용한 여성들. 카메룬 두아라
(ⓒ요시모토 시노부, 2005)

시장에서 염료를 파는 프린트 바틱을 착용한 여성.
말리 바마코 (ⓒ요시모토 시노부, 2005)

67 프린트 바틱. 옷감(부분). 양면왁스프린트(양면밀랍그리기, 양면염색)+겉면프린트(겉면염색).
면. 네덜란드(블리스코). 토고. 현대. 540.0cm×120.0cm. H223394 ▶

자바 바틱의 모방

68 프린트 바틱. 옷감(부분). 양면왁스프린트
(양면밀랍그리기, 양면염색)+겉면프린트(겉
면염색). 면. 네덜란드(블리스코).
카메룬. 현대.
540.0cm×121.3cm. H223531

프린트 바틱의 드레스를 착용한 젊은 여성
들. 말리 바마코 (ⓒ요시모토 시노부, 2005)

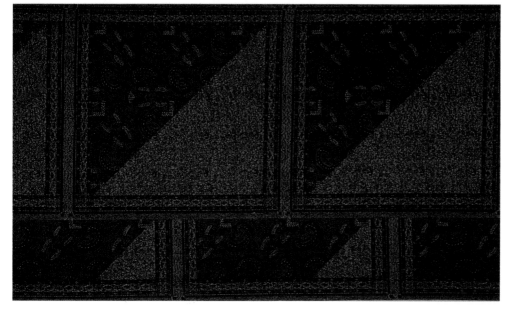

69 프린트 바틱. 옷감(부분). 양면왁스프린트
(양면밀랍그리기, 양면염색)+겉면프린트(겉
면염색). 면. 네덜란드(블리스코).
토고. 현대.
540.0cm×120.0cm. H223394

70 a: 프린트 바틱. 옷감(부분). 양면왁스프린트(양면밀랍그리기, 양면염색). 면. 가나(GTP). 토고. 현대. 540cm×120.5cm. H223433
b: 프린트 바틱. 옷감(부분). 양면왁스프린트(양면밀랍그리기, 양면염색)? 면. 가나(GTP). 세네갈. 현대. 552.0cm×118.0cm. H222022
c: 프린트 바틱. 옷감 단편(부분). 양면왁스프린트(양면밀랍그리기, 양면염색). 면. 가나(GTP). 가나. 현대. 181.5cm×122.5cm. H236058
d: 프린트 바틱. 옷감(부분). 양면왁스프린트(양면밀랍그리기, 양면염색). 면. 가나(GTP). 가나. 현대. 1097.0cm×121.0cm. H235988
e: 프린트 바틱. 옷감(부분). 양면왁스프린트(양면밀랍그리기, 양면염색)? 면. 제작지 미상. 세네갈. 현대. 534.0cm×117.0cm. H222097
f: 프린트 바틱. 옷감(부분). 양면왁스프린트(양면밀랍그리기, 양면염색)? 면. 제작지 미상. 세네갈. 현대. 526.0cm×117.0cm. H222018
g: 프린트 바틱. 옷감(부분). 양면왁스프린트(양면밀랍그리기, 양면염색). 면. 가나(GTP). 토고. 현대. 1097.0cm×123.0cm. H225997

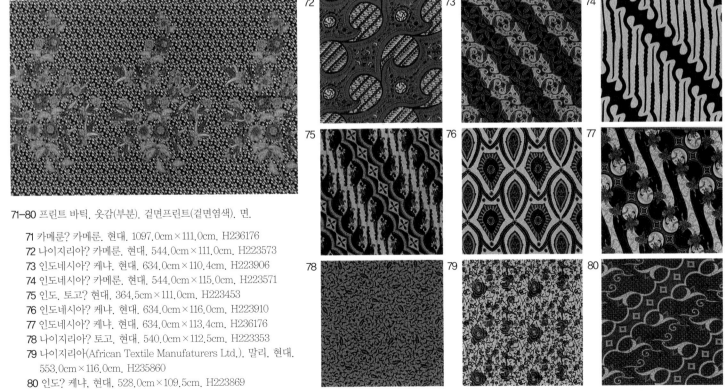

71-80 프린트 바틱. 옷감(부분). 겉면프린트(겉면염색). 면.

71 카메룬? 카메룬. 현대. 1097.0cm×111.0cm. H236176
72 나이지리아? 카메룬. 현대. 544.0cm×111.0cm. H223573
73 인도네시아? 케냐. 현대. 634.0cm×110.4cm. H223906
74 인도네시아? 카메룬. 현대. 544.0cm×115.0cm. H223571
75 인도. 토고? 현대. 364.5cm×111.0cm. H223453
76 인도네시아? 케냐. 현대. 634.0cm×116.0cm. H223910
77 인도네시아? 케냐. 현대. 634.0cm×113.4cm. H236176
78 나이지리아? 토고. 현대. 540.0cm×112.5cm. H223353
79 나이지리아(African Textile Manufaturers Ltd.). 말리. 현대.
　　553.0cm×116.0cm. H235860
80 인도? 케냐. 현대. 528.0cm×109.5cm. H223869

45

81 프린트 바틱. 옷감(부분). 겉면프린트(겉면염색). 면. 중국? 나이지리아. 현대. 1097.0cm×114.0cm. H236113

84 프린트 바틱. 옷감(부분). 겉면프린트(겉면염색). 면. 나이지리아(Nichemtex Industrues Ltd.). 카메룬. 현대. 544.0cm×115.3cm. H223539 .

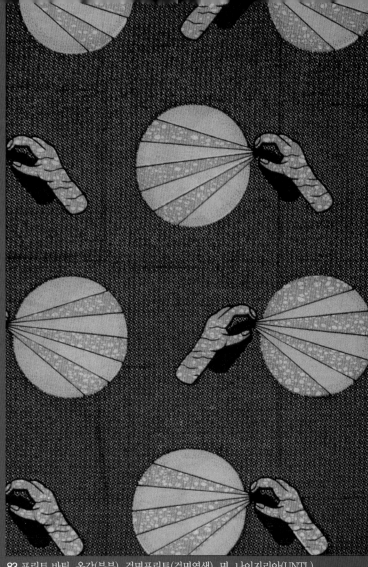

82 프린트 바틱. 옷감(부분). 겉면프린트(겉면염색). 면. 제작지 미상. 카메룬. 현대. 552.0cm×120.0cm. H223561

83 프린트 바틱. 옷감(부분). 겉면프린트(겉면염색). 면. 나이지리아(UNTL). 토고. 현대. 540.0cm×120.0cm. H223371

85 프린트 바틱. 옷감(부분). 겉면프린트(겉면염색). 면. 나이지리아(UNTL). 토고. 현대. 544.0cm×112.8cm. H223360

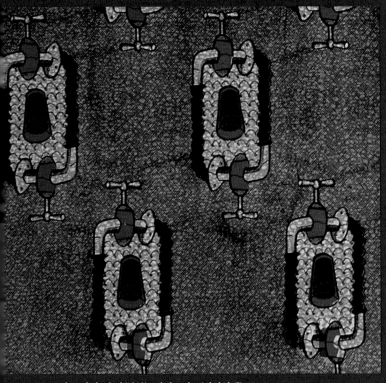

86 프린트 바틱. 옷감(부분). 겉면프린트(겉면염색).
면. 제작지 미상. 토고. 현대. 544.0cm×115.0cm. H223486

88 프린트 바틱. 옷감(부분). 겉면프린트(겉면염색).
면. 탄자니아(Karibu Textile Mills Ltd.). 토고. 현대.
1,097.0cm×104.0cm. H236197

87 프린트 바틱. 옷감(부분). 겉면프린트(겉면염색).
면. 나이지리아(Asaba Textile Mills Plc). 나이지리아. 현대.
547.0cm×115.0cm. H236104

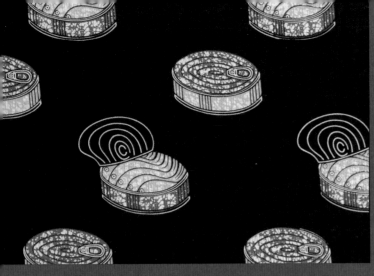

89 프린트 바틱. 옷감(부분). 겉면프린트(겉면염색). 면. 제작지 미상. 토고.
　현대. 540.0cm×119.0cm. H223324

90 프린트 바틱. 옷감(부분). 겉면프린트(겉면염색). 면. 제작지 미상. 카메룬.
　현대. 536.0cm×114.9cm. H223545

91 프린트 바틱. 옷감(부분). 겉면프린트(겉면염색). 면. 제작지 미상. 토고.
　현대. 540.0cm×119.5cm. H223320

93 프린트 바틱. 옷감(부분). 겉면프린트(겉면염색).
면. 나이지리아(UNTL). 토고. 현대.
372.0cm×114.5cm. H223364

92 프린트 바틱. 옷감(부분). 겉면프린트(겉면염색). 면. 가나(GTP). 가나. 현대. 1,097.0cm×118.5cm. H226002

51

45

에스닉 디자인

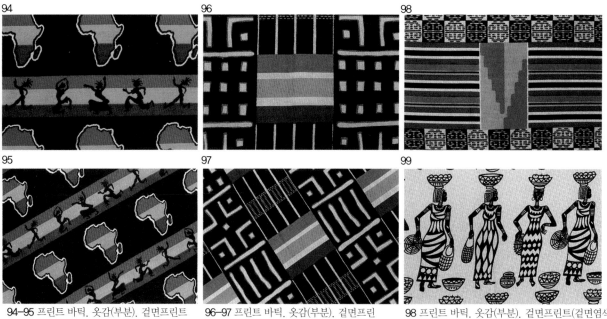

94–95 프린트 바틱. 옷감(부분). 겉면프린트
(겉면염색). 면. 세네갈(Cosetex). 세네갈. 현
대. 1,097.0cm×114.5cm. H235891

96–97 프린트 바틱. 옷감(부분). 겉면프린
트(겉면염색). 면. 제작지 미상. 토고. 현대.
540.0cm×116.7cm. H223478

98 프린트 바틱. 옷감(부분). 겉면프린트(겉면염색). 면.
가나(Akosombo Textiles Ltd.). 가나. 현대.
1,097.0cm×116.0cm. H235996
99 프린트 바틱. 옷감(부분). 겉면프린트(겉면염색). 면.
세네갈(UCosetex). 세네갈. 현대. 1,097.0cm×116.5cm. H235894

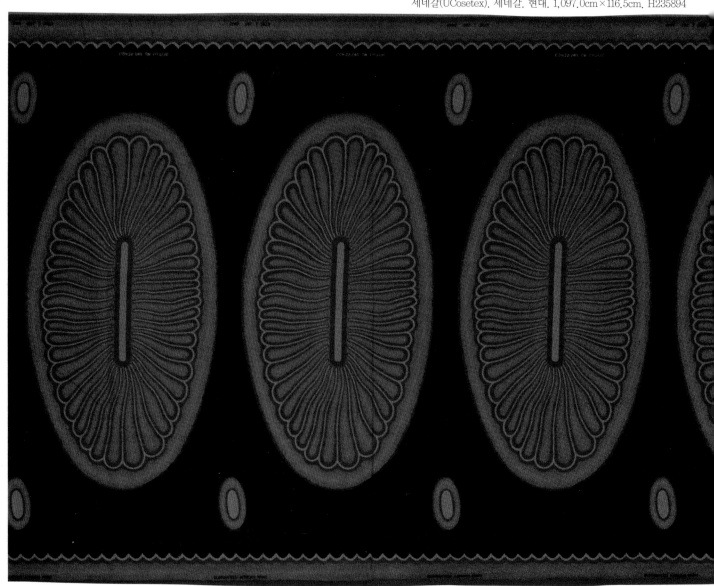

100 프린트 바틱. 허리에 두르는 천(부분). 겉면프린트(겉면염색). 면. 제작지 미상. 가나. 현대. 173.0cm×115.0cm. H236063

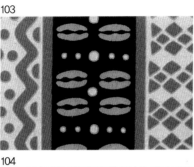
103

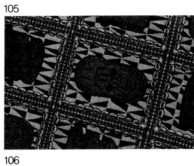
105

104

106

102 프린트 바틱. 옷감(부분). 프린트(겉면염색). 면. 지 미상. 카메룬. 현대. 540.0cm× 0cm. H227314

103–104 프린트 바틱. 옷감(부분). 겉면프린트 (겉면염색). 면. 세네갈(Cosetex). 세네갈. 현대. 1,097.0cm×115.0cm. H235893

105 프린트 바틱. 옷감(부분). 겉면프린트 (겉면염색). 면. 카메룬(Cicam). 카메룬. 현대. 1,097.0cm×114.0cm. H236181

106 프린트 바틱. 옷감(부분). 겉면프린트 (겉면염색). 면. 세네갈(Cosetex). 세네갈. 현대. 1,097.0cm×115.0cm. H235895

107 프린트 바틱. 옷감(부분). 겉면프린트(겉면염색). 면. 인도? 나이지리아. 현대. 547.0cm× 112.0cm. H236089

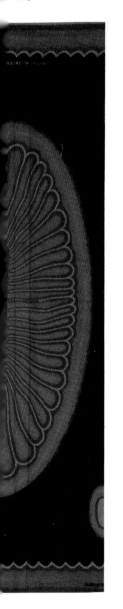

프린트 바틱을 착용한 남성. 가나. 아크라 (ⓒ요시모토 시노부. 2005)

선거후보자의 얼굴이 들어간 캉가를 걸어놓은 매장입구. 탄자니아. 다르에스살람.
(ⓒ요시모토 시노부, 2005)

108

108 프린트 바틱. 옷감(부분). 겉면프린트(겉면염색).
면. 세네갈(Icotaf). 세네갈. 현대.
546.0cm×117.0cm. H221996

109 프린트 바틱. 옷감(부분). 겉면프린트(겉면염색).
폴리에스테르. 가나. 가나. 현대.
185.0cm×146.0cm. H236054

NGUVU MPYA · KASI MPYA

CHAGUA KIKWETE

NGUVU MPYA · KASI M

110 프린트 바틱. 캉가(부분). 겉면프린트(겉면염색). 면. 탄자니아. 탄자니아. 현대.
300.0cm × 106.0cm. H236232

선거후보자의 얼굴이 디자인된 캉가를 착용한 여성.
잔지바르 (ⓒ요시모토 시노부. 2005)

111 프린트 바틱. 옷감(부분). 겉면프린트(겉면염색). 면. 세네갈(Sotiba). 세네갈. 현대. 546.0cm×116.0cm. H221919

112 프린트 바틱. 옷감(부분). 겉면프린트(겉면염색). 면. 코트지보아르
(Texicodi SA). 토고. 현대. 540.0cm×117.0cm. H223412

113 프린트 바틱. 옷감(부분). 겉면프린트(겉면염색). 면. 코트지보아르(Texicodi SA).
토고. 현대. 540.0cm×117.8cm. H223415

114 프린트 바틱. 옷감(부분). 겉면프린트(겉면염색).
면. 카메룬(Cicam). 카메룬. 현대.
1,097.0cm×114.0cm. H236174

115 프린트 바틱. 옷감(부분). 겉면프린트(겉면염색).
면. 세네갈(Sotiba). 세네갈. 현대.
540.0cm×115.0cm. H221924

116 프린트 바틱. 옷감(부분). 겉면프린트(겉면염색).
면. 세네갈(Sotiba). 세네갈. 현대.
540.0cm×115.0cm. H22192

117 프린트 바틱. 옷감(부분). 겉면프린트(겉면염색).
면. 코트지보아르(Texicodi SA). 토고. 현대.
540.0cm×115.0cm. H223418

118 프린트 바틱. 옷감(부분). 겉면프린트(겉면염색).
면. 코트지보아르(Texicodi SA). 토고. 현대.
540.0cm×116.5cm. H223417

119 프린트 바틱. 옷감(부분). 겉면프린트(겉면염색).
면. 코트지보아르(Texicodi SA). 토고. 현대.
540.0cm×116.0cm. H223410

캉가

123–128 ▶
도판 121 부분

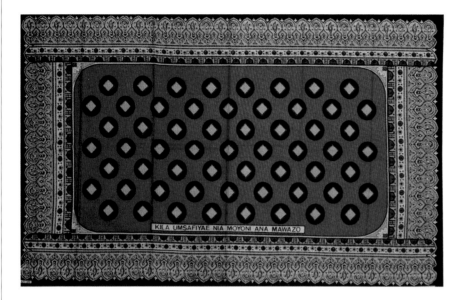

120
프린트 바틱. 캉가(부분).
프린트(겉면염색).
면. 인도. 케냐. 현대.
320.0cm×111.0cm.
H223781

129–131 ▶
도판 120 부분

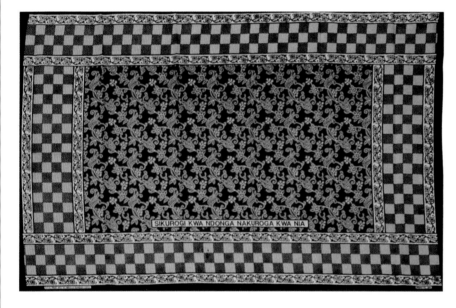

121
프린트 바틱. 캉가(부분).
프린트(겉면염색).
면. 인도? 케냐. 현대.
320.0cm×111.0cm.
H223843

132–137 ▶
프린트 바틱. 캉가(부분).
프린트(겉면염색).
면. 인도. 케냐. 현대.
320.0cm×111.0cm.
H223754

122
프린트 바틱. 캉가(부분).
프린트(겉면염색).
면. 마다가스카르.
마다가스카르. 현대.
162.0cm×121.5cm.
H205773

138–140 ▶
프린트 바틱. 캉가(부분).
프린트(겉면염색).
면. 인도. 케냐. 현대
320.0cm×111.0cm.
H223757

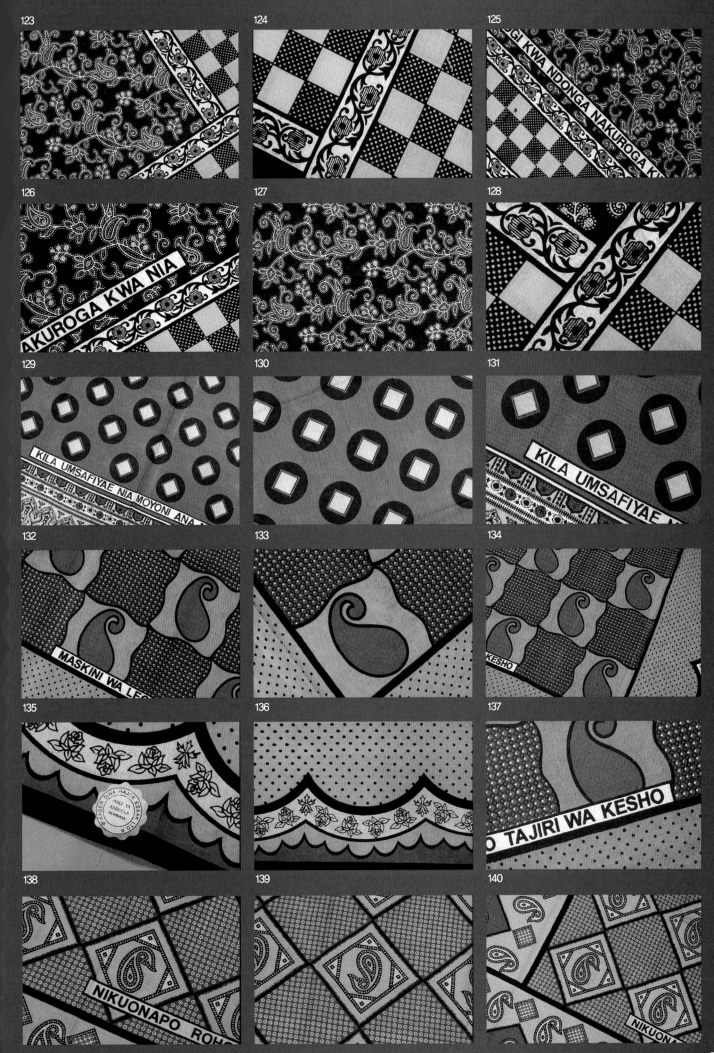

아시아의 프린트 바틱

인도네시아를 포함한 동남아시아 대부분의 국가들, 그리고 네팔에서는 1970년대 이후에 인도네시아, 태국, 말레이시아에서 생산된 자바 바틱을 모방한 프린트 바틱 모조품이 저렴한 패션소재로서 보급되었다. 이들은 모두 스크린프린트와 롤러프린트를 이용한 직접날염의 바틱이다.

인도네시아의 자바에서는 자바 바틱의 다양한 디자인을 채용한 프린트 바틱이 자바 바틱을 대신하여 일상용과 의례용의 전통적인 의상, 또는 서양적인 현대 패션의 소재로서 남녀의 구별 없이 널리 받아들여졌고, 특히 1990년대 후반부터는 자바 바틱을 입은 사람이 급격히 줄어들었다.

한편 자바 이외 인도네시아의 많은 섬들과, 베트남을 제외한 동남아시아 대륙부의 국가들 및 네팔여성들 사이에서는 각각의 국가와 민족 간에 계승되어 온 전통적인 하의 대신에, 자바 바틱의 컬러풀한 꽃다발 무늬가 표현된 사롱을 모방한 바틱을 일상용 및 정장용의 의상으로 착용하게 되었다. 꽃다발 무늬의 사롱은 원래는 자바의 쁘깔롱안을 대표하는 자바 바틱의 의상이었다. 자바 바틱의 꽃다발 무늬는 유럽의 부케를 디자인 소스로 삼은 것으로, 1880년대부터 자바의 북부지역과 수마뜨라에서 유행하기 시작했다. 꽃다발 무늬의 유행은 지금도 뿌리 깊게 계승되고 있지만, 자바 바틱보다도 프린트 바틱의 대표적인 디자인으로 널리 알려졌다.

141 프린트 바틱. 옷감(부분). 프린트(겉면염색). 면. ▶
인도네시아 자바 솔로(Batik Danar Hadi). 솔로.
현대. 810.0cm×106.5cm. H236365

142 프린트 바틱. 옷감(부분). 프린트(겉면염색). 면. ▶
인도네시아 자바 솔로(Batik Danar Hadi). 솔로.
현대. 3,959.0cm×116.0cm. H236359

143 프린트 바틱. 옷감(부분). 프린트(겉면염색). 면. ▶
인도네시아 자바 솔로(Batik Danar Hadi). 솔로.
현대. 3,400.0cm×109.5cm. H236362

144 프린트 바틱. 옷감(부분). 프린트(겉면염색). 면. ▶
인도네시아 자바 솔로(Batik Danar Hadi). 솔로.
현대. 3,425.0cm×112.0cm. H236360

145 프린트 바틱. 옷감(부분). 프린트(겉면염색). 면. ▶
인도네시아 자바 솔로(Batik Danar Hadi). 솔로.
현대. 1,800.0cm×110.5cm. H236364

146 프린트 바틱. 옷감(부분). 프린트(겉면염색). 면. ▶
인도네시아 자바 솔로(Batik Danar Hadi). 솔로.
현대. 3,800.0cm×109.5cm. H236359

147 프린트 바틱. 옷감(부분). 프린트(겉면염색). 면. ▶
인도네시아 자바 솔로(Batik Danar Hadi). 솔로.
현대. 4,535.0cm×116.5cm. H236361

스크린 프린트에 의한 사롱의 프린트 작업: 인도네시아 자바 브까시
(ⓒ요시모토 시노부. 2005)

싱가포르의 바틱 매장
(ⓒ요시모토 시노부. 2006)

141

142

143

144

145

146

147

61

148 프린트 바틱. 사롱. 프린트(겉면염색). 면. 태국? 태국. 현대.
176.5cm×106.0cm. H236591

149 프린트 바틱. 사롱. 프린트(겉면염색). 면. 태국? 라오스. 현대.
176.5cm×106.0cm. H236571

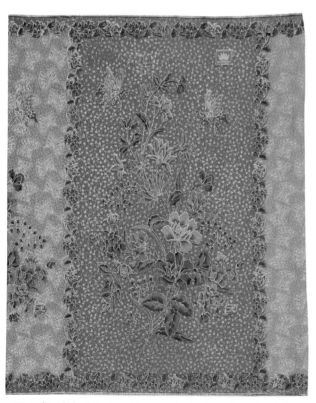

150 프린트 바틱. 사롱. 프린트(겉면염색). 면. 태국? 캄보디아. 현대.
177.5cm×105.5cm. H236549

151 프린트 바틱. 사롱. 프린트(겉면염색). 면. 태국? 네팔. 현대.
190.0cm×110.0cm. O1088

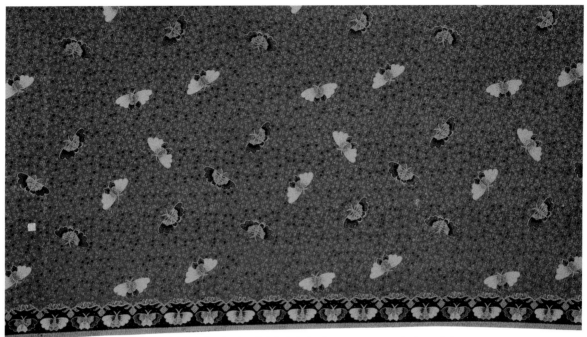

152 프린트 바틱. 사롱. 프린트(겉면염색). 면. 인도네시아 자바 솔로(Batik Danar Hadi). 솔로. 현대. 810.0cm×106.5cm. H236365

153 프린트 바틱. 허리에 두르는 천. 프린트(겉면염색). 면. 인도네시아. 자까르따. 현대. 230.0cm×103.0cm. H23614

154 프린트 바틱. 옷감(부분). 프린트(겉면염색). 면. 인도네시아. 자까르따. 현대. 240.0cm×110.0cm. H236389

자바에서 세계로 3부

세계로 전개하는 자바 바틱의 날염기법

요시모토 시노부(국립민족학박물관 교수)

자바 바틱의 염색기법인 날염은 '짠띵'과 '짭'이라는 동판으로 만든 도구를 사용하여 천의 양면에 밀랍을 그리는 방염기법이다. '자바에서 세계로 2부'에서도 소개했듯이, 아프리카에서 프린트 바틱의 최고급 브랜드 상품으로 유통되던 왁스프린트는 롤러프린트 기법을 사용하여, 천의 양면에 밀랍을 프린트한 후에 침염하여 밀랍을 프린트한 부분을 제외한 나머지 부분을 염색한다는 것이다. 롤러프린트를 통해 기계화된 밀랍프린트 기법은 자바 바틱의 짭을 사용한 수작업에 따른 밀랍프린트 기법을 바탕으로 20세기 초에 네덜란드에서 개발되었다.

왁스프린트의 제작기법은 바로 영국과 스위스로 전해졌고, 20세기 초 이후의 아프리카를 대상으로 수출되던 프린트 바틱의 주요한 상품이 되었다. 그리고 1950년부터는 일본에서도 왁스프린트가 수출되었다. 지금은 중국과 아프리카의 일부 나라에서도 왁스프린트를 생산하고 있으며, 이들은 네덜란드의 블리스코사와 영국의 ABC왁스사에서 생산되던 왁스프린트와 함께 아프리카에서 유통되고 있다.

따라서 자바 바틱의 날염프린트 기법은 아프리카의 프린트 바틱 시장과 깊은 관계를 맺으면서 전 세계로 파급되었다. 이러한 세계화된 날염프린트 기법에 따라 생산된 프린트 바틱에 대해서는 지금까지 '자바에서 세계로 1부, 자바 바틱을 모방한 근대의 프린트 바틱', 그리고 '자바에서 세계로 2부, 아프리카와 아시아에 보이는 현대의 프린트 바틱'의 도판에서 제시하였는데, 자바 바틱의 날염기법은 그것과는 달리 수공예품으로도 세계를 대상으로 광범위하게 파급되었다.

수공예적인 날염기법 세계로 전개

오늘날 밀랍을 방염제로 사용한 수공예적인 날염은 세계각지에서 시행하고 있다. 그리고 그 대부분은 원래 인도네시아의 자바에서 자바 바틱의 날염을 의미하는 명칭인 바틱이란 명칭으로 불린다. 이처럼 바틱이라 불리는 세계각지의 모든 날염프린트가 자바 바틱의 영향 때문은 아니겠지만, 분명히 그 영향을 받아 제작된 날염은 말레

짠띵을 사용하여 밀랍을 그리는 작업: 태국 푸켓 (ⓒ요시모토 시노부, 2006)

스펀지 스탬프를 사용하여 밀랍을 프린트하는 작업. 바하마 안드로스 섬 (ⓒ요시모토 시노부, 2006)

이시아, 태국, 미얀마, 호주, 카리브 해 국가, 일본 등지에서 발견된다.

이러한 자바 바틱의 밀랍을 사용한 수공예 기법이 세계로 파급된 것은 20세기 초의 말레이시아에서 '짠띵'과 '짭'을 사용하여 날염을 시작한 것이 최초라고 한다. 그리고 얼마 지나지 않아 일본으로 파급되었고, 20세기 후반에는 태국, 미얀마, 호주, 카리브 해 국가들로 파급되었다.

다만, 세계각지에 파급된 자바 바틱의 날염기법은 각각 독자적으로 전개되었고, 이 기법이 그대로 기술 이전되어 자바 바틱과 동일한 날염이 제작되었다는 사례는 없다. 비교적 자바 바틱과 유사한 날염은 말레이시아와 미얀마에서 볼 수 있지만, 이들도 바탕천의 겉면에만 밀랍을 그리고 있어서, 자바 바틱의 날염기법의 특징 중의 하나인 천

의 양면에 밀랍을 그리는 것은 어느 나라에서도 찾아볼 수 없다. 또 자바 바틱의 날염기법은 20세기 전반에는 싱가포르에도 파급되어 최근까지 '짠띵'과 '짭'을 사용하여 자바 바틱과 유사한 수출용 날염상품을 생산하였다. 싱가포르에서는 비싼 인건비 때문에 가격적으로 자바 바틱과 말레이시아의 날염상품에 밀려 지금은 거의 생산하지 않지만, 싱가포르에서 제작된 날염에서도 밀랍을 그릴 때는 항상 천의 겉면에만 그렸다. 그런데 인도네시아 국내로 눈을 돌리면 사정은 달라진다. 관광산업의 일환으로 20세기 후반에 발리와 파푸아 주(뉴기니 섬 중북부)의 주도인 자야푸라 등에서 시작된 날염은 천의 양면에 밀랍을 그리는 것과 겉면에만 그리는 두 종류가 있다.

두꺼운 나무판에 동판과 정을 박아 넣은 스탬프를 사용하여 밀랍을 프린트하는 작업. 미얀마 양공 외곽 (ⓒ요시모토 시노부, 2006)

동남아시아의 날염

자바 바틱의 날염기법은 동남아시아의 말레이시아, 태국, 미얀마로 파급되었다. 말레이시아에서는 말레이반도 동부의 끌란딴과 트렝가누가 중요 생산지였고, 짠띵과 짭을 사용하여 천의 겉면에 밀랍을 그리는 자바 바틱과 유사한 통치마 스타일의 하의와 사롱이 제작되었다. 이렇게 제작된 상품은 주로 국내에서 서민들의 일상복으로 유통되었는데, 근년에는 페낭 등지에서 벽장식, 손수건, 스카프 등의 관광공예품도 생산하고 있다.

태국의 날염은 1970년대에 말레이시아에서 전해졌고, 푸껫과 치앙마이를 중심으로 주로 의상과 벽장식, 손수건과 스카프와 같은 관광공예품을 제작하였다. 밀랍그리기에는 짠띵 외에 프린트용의 목판과 금속의 스탬프, 인도 바틱의 수작업용 밀랍을 그리는 도구인 깔람(Kalam, 철로 만든 펜－역자주)도 일부 사용하였다. 또 방콕의 미술대학과 치앙마이 근교의 장애자를 대상으로 한 직업훈련소 등에서는 날염 실습도 시행하고 있다.

미얀마의 날염은 1990년대에 싱가포르에서 전래되었다고 한다. 현재, 수도인 양공과 그 주변에는 10군데 정도의 공방이 있다. 이들 공방에서는 밀랍을 넣는 도구로 나무의 밑바닥에 동판을 끼워 넣은 스탬프를 이용한다. 대부분의 날염제품은 자바 바틱의 디자인을 모방한 것으로 오로지 국내에서 여성용 사롱(현지명칭은 롱지) 외의 의상용으로 들어왔다.

날염한 프린트 바틱을 판매하는 바틱 전문점. 미얀마 양공 (ⓒ요시모토 시노부. 2006)

관광객을 대상으로 판매되는 바틱 페인팅. 태국. 푸껫.
(ⓒ요시모토 시노부. 2006)

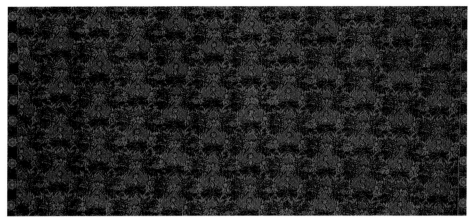

155 프린트 바틱(바틱). 옷감(부분). 왁스프린트(겉면밀랍그리기. 양면염색). 면. 미얀마 양공. 양공. 현대. 268.0cm×103.0cm. O1126

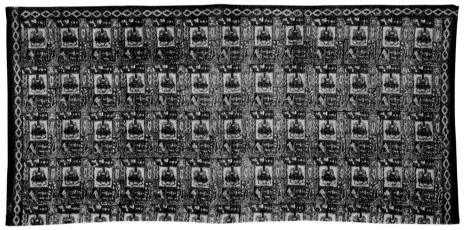

156 프린트 바틱(바틱). 옷감(부분). 왁스프린트(겉면밀랍그리기. 양면염색). 면. 말레이시아 크란탄. 페낭. 현대. 222.0cm×113.0cm. O1102

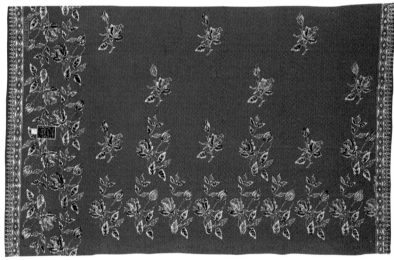

157 프린트 바틱. 옷감(부분). 왁스프린트(겉면밀랍그리기. 양면염색). 면. 미얀마 양공. 양공. 현대. 174.0cm×109.0cm. O1116

158 프린트 바틱. 손수건. 날염
(겉면밀랍그리기. 겉면염색). 면.
태국 치앙마이. 치앙마이. 현대. 42.0cm×
40.5cm. O996

159 프린트 바틱. 손수건. 날염
(겉면밀랍그리기. 겉면염색). 면.
태국 치앙마이. 치앙마이. 현대. 40.5cm×
40.5cm. O994

160 프린트 바틱. 손수건. 날염
(겉면밀랍그리기. 겉면염색). 면.
태국 치앙마이. 치앙마이. 현대. 41.0cm×
41.5cm. O1012

일본의 날염

일본에서는 나라시대에 당에서 전래한 날염이 유행했지만, 얼마가지 못해 쇠퇴해 버렸다. 지금 일본의 날염은 교유젠(京友禪)의 염색기법의 하나로 간주되며, 기모노(일본의 전통의상)와 오비(띠) 중에는 날염을 사용한 무늬염색이 사용되고 있으며, 전통공예와 현대공예 작가도 배출하고 있다. 이러한 현대의 날염프린트는 메이지시대 말기, 나중에 교토공예학교(지금의 교토공예섬유대학) 교장이었던 쓰루마키 쓰루이찌(鶴卷鶴一)가 자바 바틱의 기술을 도입한 것에서 시작한다. 그러나 현대의 날염프린트에서는 밀랍을 그릴 때 주로 붓을 사용하였고, 자바 바틱의 그리기 도구인 '짠띵'과 '짭'을 사용하는 방식을 전혀 채택하지 않았다. 또 자바 바틱은 홍모선(紅毛船, komosen)에 실려 에도시대에 네덜란드동인도회사의 교역품으로 전래된 뒤로는 매력적인 천으로 일본인의 마음을 감동시켰다. 인도네시아의 자바에서는 제2차 세계대전이 일어나기 전부터, 주로 교토의 무로마찌스지(室町筋)에서 일본 전통의상(京吳服)의 판매를 해 온 상인의 주문에 따라 얼마간 기모노용의 바틱을 제작했다. 20세기 후반에는 이토 후사미를 비롯하여 자바에서 기술을 습득해서 일본이나 인도네시아의 자바에서 날염을 이용한 창작활동을 벌이는 아티스트도 등장하였다.

161 바틱. 옷감(부분). 날염(겉면밀랍그리기, 겉면염색). 비단.
　　일본. 교토. 현대. 1,380.0cm×38.0cm. O1129.

162 a 바틱. 오비(띠, 부분). 날염(겉면밀랍그리기, 겉면염색). 비단.
　　일본. 교토. 현대. 482.0cm×31.5cm. O1131.
　b 바틱. 옷감. 날염(겉면밀랍그리기, 겉면염색). 비단.
　　일본. 교토. 현대. 1,356.0cm×37.0cm. O1130.

163–164 바틱. 옷감(부분). 날염(양면밀랍그리기. 양면염색). 비단.
인도네시아 자바 자까르따(Djody Batik). 1990suseo.
1,305.0×m−1,396.0cm×37.0cm. 조디 컬렉션

165 바틱. 옷감. 이토 후사미 작(부분). 날염(겉면왁스프린트/겉면밀랍그리기.
양면염색). 면. 인도네시아 자바 쁘깔롱안. 2004년.
a 235.5cm×133.0cm
b 284.0cm×135.5cm
c 302.0cm×136.0cm

166 바틱. 기모노. 이토 후사미 작(부분).
날염(양면밀랍그리기. 양면염색).
비단. 인도네시아 자바 솔로. 1991년.
153.0cm(신장)×64.0cm. 개인소장

호주 원주민의 날염

1970년대 호주에서는 몇 개의 원주민 공동체로서 자바 바틱의 날염기법이 도입되었는데, 주로 여성들이 '짠띵'을 사용해서 날염을 시작하였다. 이는 영국식민지 통치의 시작과 함께 황폐해지기 시작한 원주민 문화에 대해, 기독교의 미션과 호주정부의 지도와 원조를 받아 문화부흥 프로젝트의 일환으로 진행되었다.

호주 원주민의 날염은 점묘와 선묘, 그리고 밀랍을 흩뿌려서 염색한 액션페인팅과 같은 다양한 형태까지, 그들의 작품은 원주민 여성들을 통해 새로운 아트와 수공예품으로 전개되었다.

호주 원주민이 날염을 시작한지 사반세기가 지난 지금, 이미 날염을 그만둔 공동체도 있지만, 호주 원주민이 생산한 날염의 중심적인 공동체로 알려진 아나벨라에서는 지금도 활발한 창작활동이 지속되고 있고, 인도네시아의 날염의 아티스트와 연계하여 전람회와 워크숍 등도 개최하고 있다. 또 최근에 시작된 도기제작에서 토기에 짠띵을 사용해서 밀랍으로 무늬를 그린 후, 유약을 발라 소성시키는 자바 바틱의 날염기법을 활용한 새로운 시도로 전개되고 있다.

168 a, b, c
바틱, 사용처 미상(부분). 날염(겉면밀랍그리기, 양면염색). 비단. 호주 아나벨라. 아나벨라. 현대.
a: 303.5cm×93.3cm. H147960
b: 312.0cm×113.7cm. H101851
c: 258.0cm×90.0cm. H47955

168 d: 바틱 페인팅(부분). 날염(겉면밀랍그리기, 양면밀랍). 비단. 호주 유토피아. 유토피아. 현대.
190.0cm×89.0cm. H123812

169 바틱, 사용처 미상(부분). 날염(겉면밀랍그리기, 양면염색). 비단. 호주 아나벨라. 아나벨라. 현대.
89.0cm×131.0cm. H101935 (ⓒ요시모토 시노부)

167 도자기 그릇(Nungalka Stanley 작). 호주 아나벨라. 현대.
39cm(직경)x4.0cm(높이). H236597

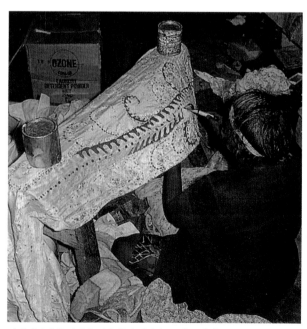

아보리지니의 짠띵을 사용해서 밀랍을 그리는 장면.
호주. 아나벨라. (ⓒ마쓰야마 1982)

카리브해 여러 국가의 날염

카리브 해 국가는 1970년대 이후, 거의 대부분 유럽인들이 들여온 자바 바틱의 날염기법을 사용하였다. 주로 관광공예품에 이 기법을 사용하여 의상과 벽 장식품을 제작하였다. 또 해양 리조트과 연계된 자연환경 외에는 달리 관광자원이 없는 섬에서는 날염의 작업현장도 귀중한 관광명소가 되어 관광객들에게 공개되었다. 자바 바틱의 날염기법이 전래된 시기에는 납염에 '짠띵'과 '짭'을 사용하는 예가 많았지만, 지금은 주로 붓을 사용하고 있다. 그런데 바하마의 안드로스 섬에서는 시행착오를 거듭하면서 독자적으로 스펀지를 소재로 한 독특한 밀랍의 프린트용 스탬프를 고안했으며, 최근에는 오히려 이 스펀지로 만든 스탬프를 사용하여 날염을 하고 있다.

또 수리남에서는 바틱을 산업용으로 제작하지 않지만, 서양화가로서 유명한 소에키 이로디크로모(Soeki Irodikromo)가 짠띵과 붓, 그리고 솔을 사용하여 바틱 페인팅 작품을 창작하고 있다. 그는 수리남이 네덜란드령 가이아나였을 시대에 인도네시아의 자바로 이주해 온 이민 3세로, 수도 파라마리보의 고급호텔 로비에는 전통의상을 착용한 자바인을 주제로 한 그의 대작이 걸려 있다.

170 바틱 페인팅
(Soeki Irodikromo 작, "함께(Makandra)",
타브로, 날염(겉면밀랍그리기, 겉면염색), 면,
수리남 파라마리보, 2003년, 84.0cm×68.0cm,
H236514

염색한 천을 말리는 장면, 바하마 안드로스 섬, (ⓒ요시모토 시노부 2006)

날염한 천으로 만든 옷을 입은 여성(도 171),
세인트루시아 카스트리즈 (ⓒ요시모토 시노부 2006)

171 위와 아래가 이어진 옷(寬衣, 부분). 날염(겉면밀랍그리기, 양면염색). 면. 세인트루시아 카스트리즈(Caribelle Batik), 현대. 136.0cm×105.5cm, H236523

172 바틱. 옷감(부분). 날염(겉면밀랍그리기, 양면염색).
면. 바하마 안드로스 섬(Androsia), 현대.
475.5cm×100.0cm, H236497(왼쪽)
173 바틱. 옷감(부분). 날염(겉면밀랍그리기, 양면염색).
면. 바하마 안드로스 섬(Androsia), 현대.
463.0cm×100.0cm, H236499(가운데)
174 바틱. 옷감(부분). 날염(겉면밀랍그리기, 양면염색).
면. 바하마 안드로스 섬(Androsia), 현대.
462.0cm×103.0cm, H236500(오른쪽)

73

바틱 논단
[근대의 프린트 바틱]

유럽의 프린트 기술, 그 기원과 발달

후카사와 카쓰미(도쿄대학 문학부 교수)

유럽 프린트 기술의 기원

근대 유럽의 프린트(날염)기술은 꼭두서니를 매염재(색을 고착시키기 위해 사용-역자주)로 사용한 염색과 쪽(藍)을 사용한 방염을 중심으로 한 인도 바틱의 염색기법을 받아들여 완성시켰다. 여기서 주의할 점은 유럽에서는 인도처럼 수작업을 통한 염색이 아닌 처음부터 목판 프린트의 기술이 시도되었다는 점이다. 이 기술이 언제, 어떻게 해서 서양으로 전해졌는가에 대해서는 동서문명의 교류사 측면에서 매우 흥미로운 문제이다. 인도 바틱은 일찍부터 유럽국가에서 수입하였는데, 10세기 이후부터는 내륙루트를 경유하여 독일과 스칸디나비아까지 도달하였고, 지중해 교역로에서도 수입된 점을 분명히 알 수 있다. 그러나 제품은 수입되더라도 기술은 좀처럼 도입되지 못했다. 확실히 중세후기의 이탈리아와 독일에서는 목판을 이용한 '삼베' 프린트를 시도했는데, 피렌체 리카르디 도서관에 보관되어 있는 15세기 초기의 문서에는 쪽을 사용한 날염에 대한 기록이 남아있다고 한다. 그러나 실제로는 불용성의 안료를 천에 직접 찍어 날염한 원시적 방법을 사용한 제품이 많고, 색채도 대개 검은색으로 매색하여 내구성이 좋은 다색염색은 할 수 없었던 것 같다. 방염기법은 당시의 유럽에는 인도의 쪽 방염이 아직 알려지지 않았고, 청색염료로서 대청(영어로는 woad, 프랑스어로는 pastel)을 이용했지만, 이 염료는 고온에서 침염할 필요가 있었으므로 밀랍을 통한 방염은 불가능했다.

따라서 바틱의 염색기법이 본격적으로 도입된 것은 동인도무역이 발전하던 근세 초기 이후부터이고, 그것도 포르투갈 제국이 아시아무역을 독점한 16세기가 아닌 네덜란드가 주도권을 장악한 17세기의 일이었다. 이 시기에는 먼저 쪽을 사용한 방염, 이어서 꼭두서니의 매염이 암스테르담, 런던, 마르세유 등지의 국제무역도시 주변에 도입된 후에야 프린트 산업발전의 기초를 구축했다. 쪽의 밀랍방염은 비교적 단순한 물리적 원리에 따라 염색하는 방법이어서 기술 습득에 그다지 시간이 걸리지 않았다. 이에 반해, 꼭두서니의 백반(또는 철) 매염은 보다 복잡하고 세심한 화학적 조작과 관계가 있어서 이를 습득하고 실천하기가 매우 어려웠다. 꼭두서니로 매염한 바틱은 위에 기술한 세 도시에서 1670년대부터 제조되기 시작했는데, 아름다운 붉은색의 내구성이 높은 염색이 유럽 각지로 보급되기에는 역시 몇 십년의 세월이 필요했다. 아무튼 유럽 프린트 산업의 반흥과 함께 영국과 네

[1] 18세기 후반의 레반트 바틱. 터키 동남부 디야르바클에서 만든 '샤파르카니'라 불렸던 제품으로, 당시는 마르세유 상인을 통해 대량으로 수입되었다. 서아시아를 경유하여 유럽에 전해진 프린트 기술과 도상의 원형을 잘 보여준다. (ⓒ부슈 튜 로누현 문서관 소장, 1983)

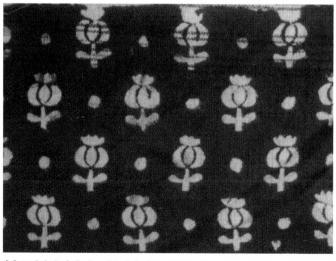

[2] 18세기 후반의 마르세유에서 만든 프린트 면포. 작은 꽃무늬는 사진 1의 도안을 본 뜻 것이 분명하다. 일반적으로 붉은 바탕천 또는 보라색 천에 희고 작은 꽃을 뿌린 도안은 발흥기의 유럽 날염기술과 연결된다. (ⓒ부슈 튜 로누현 문서관 소장, 1983)

딜란드 등의 동인도회사의 활약으로 인도산 흰 면의 수입무역이 비약적인 발전을 이뤘다.

그런데 인도 염색기법이 유럽으로 도입되기에는 희망봉을 경유하는 인도양 교역로보다는 서아시아를 경유하는 지중해 교역로가 훨씬 유리했으며, 여기서 인도, 페르시아, 레반트(오스만 제국), 유럽으로 이어지는 국제상업 네트워크를 조직한 아르메니아 상인이 결정적인 역할을 했을 것이다. 그들은 서북인도의 바틱 제작을 통제함과 동시에, 레반트에서도 프린트 바틱의 생산에 관여했으며, 나아가 암스테르담과 마르세유에서는 아르메니아인 기술자가 '레반트·페르시아의 색채와 제조법'을 도입했던 것을 확인할 수 있기 때문이다. 근세에 쇠퇴기로 들어섰던 전통적인 '대상(大商)의 길'이 문화와 기술의 이전에 중요한 역할을 담당했다는 것을 증명하는 좋은 사례라 할 수 있다.

바틱 산업의 발전

유럽의 바틱 산업은 모직물과 견직물 등의 전통산업을 보호하는 중상주의 정책 때문에 잠시 주춤했다. 특히 프랑스에서는 1686년에 공표된 바틱 제조금지법 때문에 이 새로운 산업은 큰 타격을 받았고, 1759년에 금지조치가 철폐되기까지 거의 소멸상태였다. 그동안 면을 소재로 한 바틱 산업은 영국, 네덜란드, 독일, 스위스, 북이탈리아 등지에서 발전했고, 특히 암스테르담에서 라인란드, 알자스, 뮤르즈, 바젤을 거쳐 누샤텔과 주네브에 이르는 벨트형 지역은 말하자면 '바틱의 로타랭지아'로서 이후 산업혁명의 중

축을 형성했다. '로타랭지아(Lotharingia)'란 중세의 카롤링거 왕조 시대에 일시적으로 출현한 왕국의 이름으로, 그 지배영역에 해당하는 벨트형 지역은 나중에 유럽의 문화, 종교, 경제의 전개에 중심적 역할을 담당하였으므로, 이를 비유하여 불린 호칭이었다. 그리고 18세기 동안 유럽의 바틱 제조업자는 인도의 염색기법을 모방하고 습득했을 뿐 아니라, 독자의 기술개량을 조금씩 도입하여, 결국 많은 점에서 아시아의 기법을 능가하게 되었다. 이 기법혁신의 선두에 섰던 것이 면직물과 제철업을 주체로 한 제1차 산업혁명의 발상지인 브리튼 제도(유럽의 서쪽에 위치한 그레이트브리튼 섬과 아일랜드 섬을 포함한 6천개 이상의 섬-역자주)의 제조업자들이었다.

일찍이 1734년에 영국은 쪽(藍)염료 통에 유산철과 석회를 넣음으로서 저온의 쪽 염색기법(냉염법)을 개발하였다. 이것은 연료비를 절약시킬 뿐 아니라 온도상승으로 밀랍이 부분적으로 녹는 것을 방지하고 염료분해의 정밀도를 향상시켰다. 그리고 이 발명을 바탕으로 1766년 이후에는 밀랍방염을 사용하지 않고, 쪽 염료를 면포에 직접 찍는 프린트 기술을 개발했다. 한편, 18세기 중엽의 영국과 아일랜드에서는 그때까지 사용되던 목제 볼록판에 추가해서 동으로 만든 오목판을 사용하기 시작했고, 1783년에는 스코틀랜드의 제조업자 토마스 벨(Thomas Bell)이 롤러프린트를 발명했다. 그 결과, 보다 정밀하고 규칙적인 무늬의 프린트가 가능하게 된 점은 말할 것도 없다. 또 1776년 이후에는 꼭두서니의 염료 통에 석회를 넣어 붉은색을 보

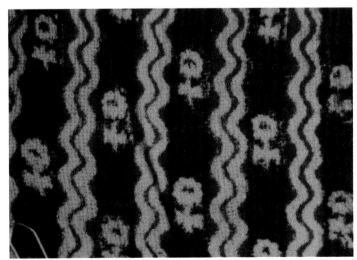

[3] 18세기 후반의 마르세유에서 만든 프린트 면포. 사진 2처럼 꼭두서니 매염을 사용한 제품으로, 물이 흘러가는 모양과 작은 꽃을 조합한 도안은 당시에 매우 성행했다. 이런 종류의 병렬식 바틱이 보전된 예는 별로 없어서 발흥기의 프린트 기술을 알 수 있는 매우 중요한 자료가 된다. (ⓒ부슈 튜 로누현 문서관 소장, 1983)

[4] 18세기 후반의 영국에서 만든 프린트 면포. 아마도 납염은 아닌 것 같고, 볼록형 금속제를 끼워 넣은 목판을 이용해서 쪽 염료를 직접 프린트한 제품으로 추정된다. 이런 종류의 바틱은 당시 프랑스에서 매우 귀중히 다뤄졌는데, 영국의 프린트 기술이 이미 고도의 수준에 달했음을 시사한다. (ⓒ부슈 튜 로누현 문서관 소장)

다 아름답게 하는 방법이 알려졌고, 1785년에는 역시 영국인 반크로프트가 크로하가시와 나무껍질에서 채취한 염료를 이용하여 노란색의 내구성이 높은 염색에 성공했다. 인도에서는 심황으로 노란색을 물들이려 했지만, 이 방법은 색이 떨어지는 결점이 있었다.

이처럼 유럽의 프린트 산업은 산업혁명의 길을 돌파해왔다. 염색공정의 기계화에 부합해서 화학 및 전기산업을 주체로 한 19세기 후반의 제2차 산업혁명은 합성염료의 개발에 힘입어 프린트 산업에 새로운 혁신을 가져왔다. 먼저 1856년에 윌리엄 파킨(William Perkin)이 발명한 합성염료는 곧이어 합성 쪽(藍)의 개발을 가져왔고, 천연 쪽(藍)에 대한 해외의존도를 크게 감소시켰다. 다음으로 1868년에 합성적색염료로 알리자린(Alizarin. 유기화합물로 서양 꼭두서니에서 추출됨-역자주)이 발명되자, 남프랑스에서 큰 번영을 누린 꼭두서니 재배는 급속히 쇠퇴하였다.

기술혁신과 전통공예

20세기 중반까지의 유럽 중심적 또는 근대주의적 역사관에서 본다면, 이러한 과정은 합리적이 과학기술의 진보와, 그것에 기초한 자본주의적인 대량생산이 세계시장을 정복하는 불가피한 발전과정의 일부에 불과하다고 생각했

을 것이다. 이 발전과정 중에서 전통적 수공업은 '전근대적'이라는 낙인이 찍혀 소멸될 운명에 있다고 여겨졌다. 그것은 농업생산 분야에서 중소농민의 독립경영이 몰락하고, 자본주의적인 대농장경영이 성립한 것이 근대사회의 성립조건이라고 주장하는 것과 같은 논리이다.

그런데 21세기 초에 살고 있는 우리들은 이 역사관이 하나의 이데올로기에 불과하며, 현대세계의 현실은 그런 역사관과는 적합하지 않는 다양한 요소를 내포하면서 성립한다는 점, 또 유럽문명 자체가 일방적인 '글로벌화'를 추진하려는 미국의 자본주의와 비교하면, 전통적인 다양성을 더 많이 보존하고 있다는 점을 알 수 있다. 그리고 인도에서 전통적인 염색기법을 유지한 목판프린트로 만든 면포가 여전히 세계각지의 소비자에게 호평을 받고, 옛날 방식의 수공예로 만들어진 페르시아 양탄자가 밋밋한 기계직조로 짠 양탄자보다 더 존중받고 많은 소비자들이 구매하고 있는 점도 알고 있다. 따라서 성숙한 시선을 가진 독자들은 혹시 바틱 시장의 '글로벌화'가 언급된다고 하더라도 그것이 개성 없이 획일화된 세계시장이 아닌, 기술면에서도 도상과 색채 면에서도, 항상 다양한 요소가 꿈틀거리는 복합적 공간, 일원화와 다원화의 서로 모순되는 힘이 버티며 활동하는 역동적인 공간이란 점을 여러 사례를 통해 파악할 수 있을 것이다.

[5] 18세기 후반, 프랑스의 주이 바틱. 파리 서남쪽 주이 앤 조자 프린트공장의 제품으로, '주이 바틱'이란 이름으로 유럽에 알려졌다. 같은 시대의 마르세유 제품과 비교해 볼 때 벌써 고도의 기술수준임을 알 수 있다. 초기의 주이 바틱은 여기서 볼 수 있듯이 인도 바틱의 도안을 충실히 모방한 것이 많다. (『フランス染織文化展－ミュルーズ染織美術館コレクション』カタログ(日本圖案家協会. 1981 참고)

[6] 19세기 후반, 프랑스 알자스에서 만든 바틱. 이 시기에는 프린트 공정의 기계화와 인공염료의 발명에 힘입어 유럽의 프린트 기술은 정점에 달했다. 당시는 이러한 섬세한 캐시미르 무늬가 유행했다. (『フランス染織文化展－ミュルーズ染織美術館コレクション』カタログ(日本圖案家協会. 1981 참고)

산업혁명과 면포의 대량생산

쿠메 타카시(사이타마공업대학 사회학부 교수)

영국산업혁명과 인도

영국의 산업혁명은 면공업부터 시작했다. 17세기까지 농촌공업으로 모직물 공업의 전개가 광범위하게 확산되었음에도 불구하고 말이다.

17세기 전반, 아시아무역에 대한 영국동인도회사의 대응에서 인도의 면직물은 동남아시아의 향신료를 손에 넣기 위한 중계무역의 수단에 불과했지만, 1623년의 암보이나 사건(Amboyna massacre, 말라야제도의 암보이나(지금의 암본) 섬에 있던 영국 상관(商館)을 네덜란드가 공격하여 상주직원을 전원 살해한 당시의 향신료 무역독점권을 둘러싼 사건-역자주)을 계기로 영국이 동남아시아에서 인도로 후퇴한 점, 또 유럽에서의 공급과잉으로 향신료의 가격이 내려간 점 때문에 인도의 면직물은 영국 본토로 수입되었다. 인도면직물이 전해지기 전에 이미 영국에서는 새로운 직물(new drapery)로서, 얇은 모직물과 퍼스티언(fustian, 면과 마의 실을 혼합하여 짠 직물-역자주)이 유행하고 있었다. 이와 같은 배경 속에서 인도 면직물은 곧바로 영국사회에 스며들었다. 일반적으로 면직물은 다른 직물에 비해 염색하기 쉽지만, 인도의 면직물은 세탁이 가능하고 색바램이 없다는 당시 영국인들에게는 믿기 어려운 특성을 가지고 있었다. 또 당시 인도인의 염색기술은 영국이 따라잡을 수 없을 정도로 뛰어났기 때문에, 영국동인도회사는 인도의 면직물이 차츰 인기를 얻게 되자 런던시장의 기호에 맞는 디자인을 인도면직물 업계에 요구하게 되었고, 나아가 디자인 샘플을 인도로 직접 보낼 정도였다.

이렇게 시작한 인도면직물의 대량유입에 대해 영국의회는 2회에 걸쳐 인도면직물의 수입금지법을 통과시켰다. 먼저 1700년에는 염색된 인도산 면직물수입이 금지되었다. 이 금지법에는 무늬가 없는 인도면직물의 수입과 퍼스티언의 원료가 되는 면실의 수입은 금지되지 않아서 효력이 없었다. 이에 1720년에는 모, 견직물 업계의 이익옹립을 위해 더욱 엄격한 인도산 면직물사용금지법을 내려 염색

[1] 역직기 공장 (ベインズ, 1835, 『英国綿工業史』에서). (玉川寛治, 1999, 『資本論と産業革命の時代—マルクスの見たイギリス資本主義—』東京: 新日本出版, p.59 참고)

된 인도면직물을 의복, 실내장식품, 생활용품 등에 사용하거나 착용하는 것을 금지시켰다.

이미 여러 분야에서 인도면직물을 사용하고 있던 수요구조가 팽만해 있던 때에 생긴 이와 같은 금지법은 오히려 모조품을 영국에서 생산하려는 움직임을 가속화했다. 바로 인도면직물의 수입대체화 과정에서 프린트 산업이 발달하게 된 것이다.

또 인도면직물 금지법은 재수출을 위한 인도면직물 수입은 허용되었기 때문에, 인도면직물 및 영국산의 모조 인도면직물은 유럽, 미국, 아프리카 시장으로 수출되었다. 그러나 여기서 문제가 발생했다. 특히 아프리카 시장에서 영국산 모조품은 품질이 형편없었기 때문에 찾는 사람이 없었다. 여기서 영국의 면공업은 기술혁신의 필요성을 절실히 느끼게 되었다.

'필요는 발명의 어머니'라고 흔히 말하지만, 하늘에서 떨어지듯이 기계적 발명이 이루어진 것은 아니었다. 이미 16세기말에 윌리엄 리가 양말 틀 편직기를 발명하였고, 17세기에는 아마(亞麻)와 면실을 소재로, 천 테이프를 동시에 몇 개나 제조할 수 있는 네덜란드 기동직조기가 개발되었다. 이러한 기술적인 배경에서 산업혁명을 일으킨 다양한 발명 및 개발이 있었던 것이다.

1730년대에 존 케이(John Kay)가 '나르는 북'이라는

직포작업기를 발명했는데, 이것이 1750~60년대에 보급되자 면직물 부족현상이 일어났고 방적기를 발명해야 할 필요성이 대두되었다. 1760년대에 제임스 하그리브스(James Hargreaves)가 제니방적기(여러 개의 방추를 사용하는 물레를 이용한 방적기-역자주)를, 리처드 아크라이트(Richard Arkwright)가 수력방적기를 차례로 발명했고, 1779년에는 새뮤얼 크럼프턴((Samual Crompton)이 두 기계의 장점을 합쳐 뮬 방적기를 개발했다. 1825년에는 이것을 개량한 자동 뮬 방적기가 탄생했다. 한편, 방적의 생산력이 상승할수록, 직포기계의 개량이 필연적으로 요구되었고, 1785년에 에드먼드 카트라이트(Edmund Cartwright)가 역직기를 발명했다. 이것이 제임스 와트(James Watt)가 개량한 증기기관과 결합되면서 면 방적업과 면 직물업에서 기계를 사용한 대대적인 공업이 성립하였다. 영국 북서부의 란카샤(lanccashire)지방에서는 면공업을 중심으로 한 공업도시 맨체스터가 발전하였고, 목화의 수입, 면제품의 수입항구로 리버풀이 번성하였다. 란카샤가 산업혁명의 발생지라 불리는 이유는 바로 여기에 있다.

제니 방적기와 수력 방적기에서는 대개 80번수 정도의 가는 실 밖에 만들 수 없었지만, 뮬 방적기를 사용함으로서 350번수의 가는 실마저도 생산할 수 있게 되었다. 이것은 기술적인 혁명뿐만 아니라, 단섬유와 장섬유가 혼재하는 인도산 목화에서 장섬유의 미국산 목화로 원료를 전환했기 때문이다. 이를 바탕으로 영국은 인도의 면직물에 필적할 만한 품질의 면직물을 저렴하고 대량으로 생산할 수 있게 되었다.

환대서양 목면시장을 장악한 영국은 이번에는 인도로 면직물 수출을 시도하였다. 1814년에 불과 80만 야드 정도였던 영국산 면직물의 수출량은 1835년에는 약 5,180만 야드에 이르기까지 확대되었고, 그 결과 인도의 면직물 산업은 큰 타격을 입게 되었다.

영국에서 일본으로

일본에 근대적 프린트 기술이 전파된 것은 메이지 시대 이후의 일이다. 막부말기의 개항에 따라 영국제의 저렴한 천(金巾. 씨실과 날실의 밀도를 거의 동일하게 해서 직조한 천의 질이 매우 가늘고 얇은 평직물-역자주)이 대량으로 유입되었고, 이에 따라 에도시대 이후 각지의 산지면직물 산업이 재편성되었는데, 먼저 영국과 인도산 수입 면을 사용하였고, 이어서 방적업의 발흥에 따라 일본의 면직물 업계는 크게 확산되고 발전하였다.

일본에서 이미 막부말기 단계에서 무늬를 여러 형태의 종이로 오려서 염료를 인쇄기에 넣어 여러 가지 색으로 물들이는 하의용 유젠염(褶友禪染. 풀(糊)방염을 이용한 무늬염색-역자주) 기법이 발달하였다. 이러한 배경을 바탕으로 영국에서 프린트 기계를 구입하여 일본에서 최초로 프린트를 시작한 것은 교토의 호리가와 신자브로(堀川新三郎)였다. 호리가와는 메이지 31년에 롤러프린트 기계를 이용하여 모슬린 및 면플란넬의 프린트를 개시했다. 비슷한 시기인 메이지 32년에 교토의 고니카이플란넬주식회사(五二會綿ネル株式會社)가 프랑스의 프린트기를 매입하여 면플란넬의 프린트를 개시했다. 이어서 면플란넬의 프린트 공장으로 메이지 32년에 오사카의 천초염(千草染)공장, 메이지 33년에 사카이의 요시가와(吉川)염색공장과 와카야마의 기슈(紀州)면포정공주식회사가 창건되었다. 그 밖에 면포 옷감의 프린트 공장으로 메이지 36년에 나고야의 호리미(堀尾)염직물공업소, 메이지 39년에 요코하마의 일본형염직주식회사와 도쿄의 야마자키(山崎)염직공장이 수입 프린트기계를 활용한 프린트 산업을 개시했다. 러일전쟁 후, 일본의 직물수요의 확대, 제1차 세계대전 중의 호경기에 따라 폭이 넓은 프린트물의 해외수출이 각광을 받게 된 점(은은한 광택이 나는 천과 면포 등의 직물 수출은 러일전쟁 후 보다 호조를 띠게 되어 1909년에는 면포수출량이 수입량을 뛰어 넘었음), 일본 국내에서 1인용 옷감의 대

유행, 셀과 벤진 등의 화학약품, 일본 관동지역의 비단마
저 기계프린트로 생산되었던 점 등에서 전국적으로 프린
트 산업의 발흥과 함께, 이전의 수작업 프린트가 기계 프
린트로 전환되었다.

이렇게 해서 산업혁명을 계기로 인도면직물 시장을 석권
하고 있던 유럽산 면포의 대량생산 및 기계프린트 기술이
근대일본에 전파되었고, 이번에는 일본의 프린트 면포가
아시아 시장을 석권하게 된 것이다.

[2] 메이지 말기의 京都 型友禪의 의장 (河上繁樹, 藤井健三, 1999. 『織りと染め
の歷史―日本編』 京都: 昭和堂, p.110 참고)

프린트 바틱과 자바의 바틱 제조업

세키모토 테루오(도쿄대학 동양문화연구소 교수)

세 종류의 바틱 제조기법

인도네시아에서 자바를 중심으로 생산되던 자바 바틱은 근대의 공업제품과 수작업 상품이란 측면으로 보아 후자로 분류된다. 그러나 이 생산이 유럽의 산업혁명 덕분에 탄생된 프린트 면포의 수입에 경제적 영향을 받아 시장용 상품으로 발전한 19세기의 역사는 그다지 주목받지 못했다.

현대의 자바 바틱은 제조기법에 따라 세 종류로 구별된다. 첫째, 짠띵을 사용한 수작업, 둘째, 동(銅)으로 만든 스탬프를 사용한 것, 셋째, 인도네시아에서 프린트 바틱이라 불리는 것을 말한다. 앞의 두 개가 날염인 것에 비해, 마지막 것은 밀랍을 사용하지 않고 스크린프린트를 통한 수작업의 것과, 롤러스크린을 사용한 기계로 생산된 것이 있다. 이것은 첫 번째와 두 번째의 자바 바틱을 그대로 본뜬 프린트 바틱이다. 생산량은 프린트 바틱이 압도적으로 많다. 역사적으로는 수작업으로 생산된 바틱이 오래된 것이고, 스탬프를 사용한 바틱은 19세기 중반에 시작되었다.

프린트 바틱이 시장에서 주목받기 시작한 것은 1970년대부터이다. 족자까르따에서 1990년대까지 장시간 수작업 바틱 제조업을 경영했던 고 스미하르조씨에 따르면, 1950년대에 영국의 염료회사가 스크린프린드 기법을 입증하기까지 프린트 바틱은 알려지지 않았다고 한다.

유럽 면포의 등장

인도네시아의 바틱 제조업자 사이에는 프린트 바틱기법이 알려지지 않았던 점에서 유럽산 자바 바틱 풍의 프린트 천은 19세기 초기 이후, 유럽계 상인들의 시작을 계기로 자바의 항만도시로 활발하게 수입되었다.

그 중에는 자바 바틱을 충실히 본뜬 것도 많아서 바틱 모조품으로 불렸지만, 수입품 중에는 유럽제조업자의 이미지 속에서 자바나 말레이시아 풍의 디자인을 반영한 전혀 다른 계통의 프린트 바틱 등도 포함되었다. 즉, 유럽에서 들어온 수입품을 자세히 살펴보면, 자바에서 프린트 바틱의 보급은 19세기 중반에 등장한 동제 스탬프를 사용한 자바 바틱 보다 빠르다.

가장 이른 것은 1811년의 것으로, 영국에서 제작되어 인도로 수출된 프린트 바틱이 페낭을 거쳐 바따비아(지금의 족자까르따)로 들어갔다. 유럽에서 산업혁명이 진행되고, 가늘고 탄탄한 면실 대량으로 생산되었고, '나르는 북'을 이용한 직조기의 개량, 동제의 롤러프린트기법의 발명이 이어져서 프린트 바틱이 저렴한 가격에 대량으로 생산되던 시대였다.

1811년은 네덜란드령이었던 자바가 영국에 점령된 해였다. 영국의 역사가 라이트의 연구에 따르면 [H. R. C. Wright. 1961. East Indian Economic Problems, London. 227], 함대를 이끌고 자바를 제압한 래플즈가 영국의 면직물을 가지고 들어와 저렴한 가격이 호평을 끌자마자 바로 팔려버렸다고 한다. 또 다른 설에 따르면, 자바 각지의 지방지배자들이 새로운 주인인 영국인의 환심을 사기 위해 이 면직물을 구매한 것으로, 상품의 인기는 없었다고 한다.

이것은 원래 아시아를 대상으로 제작된 프린트 바틱으로, 아직 자바 바틱을 완벽하게 재현하지 못한 상품이었다. 영국에서는 18세기 초기 무렵부터 런던에서 인도 면포에 프린트를 한 인도 바틱의 모조품이 아시아로 수출되어 진품인 인도 바틱과 경쟁하였다 [Wright: 239]. 따라서 페낭에서 재고품으로 쌓여있던 영국산 바틱은 말레이시아와 인도네시아 지역의 천 디자인을 여러 가지 형태로 모방하였다고 생각되지만, 구체적인 것은 아직 알 수 없다.

다시금 페낭에서 운반해 온 면직물이 잘 팔리는 것을 본 래플즈는 런던의 동인도회사에 바틱 등 자바 재래직물의 샘플을 보내 출하를 요청했다. 그런데 자바에서 면포가 잘 팔리고 있다는 소식이 먼저 런던에 전해졌고, 프린트 바틱이 적재된 2척의 선박이 래플즈의 연락이 도착하기 전에 자바로 출항하여 1812년에 바따비아(지금의 족자까르따)로 입항했다. 이것이 래플즈의 『자바사』에 기재되어 있던 영국으로부터의 면포 수입이었다.

그 후, 영국동인도회사, 런던의 상인, 맨체스터의 섬유기업가 등이 서로 난립하면서 자바인이 애호하던 천과 무늬를 배우면서 시장을 개척하였다. 이는 수입 면포가 점차 바틱 모조품으로 교체되어 가는 과정이었다. 당시의 기계로 제작된 면포는 지금의 반도체처럼 첨단기술의 유망상품이어서 제조업자와 상인은 시장개척을 위해서라면 어떤 노력도 마다하지 않았다.

이 경쟁에 또다시 벨기에 면포가 뛰어들었다. 나폴레옹이 이끌던 프랑스와의 전쟁에서 승리한 영국은 프랑스를 견제하기 위해 예전의 경쟁 상대이자 당시 힘이 쇠약해진 네덜란드를 오히려 지원하는 정책을 썼다. 그 결과, 자바를 포함한 네덜란드가 지배했던 옛 해외식민지는 1816년에 네덜란드에 반환되었다. 경제부흥을 도모하던 네덜란드는 당시 네덜란드연합왕국의 일부였던 영국에 이어 섬유공업이 활성화되어 있던 벨기에 면포의 수출처로 자바의 시장을 확보하길 원했다. 자바로 수입된 영국 면포에 대한 높은 관세정책이 서서히 효과를 나타내면서, 1829년대 중반이 되자 네덜란드의 면제품, 즉 벨기에의 제품이 자바의 시장에서 우위를 차지하게 되었다 [Van der Kraan, 1996, Anglo-Dutch rivalry in the Java cotton trade 1811-30, Indonesia Circle, 68: 35-64].

섬유의 시장화와 자바 바틱 제조업의 발달

이처럼 19세기 초의 역사를 되돌아보면, 언뜻 자바의 전통상품인 바틱이 유럽공장에서 제작된 모조품에 압도된 듯이 보인다. 그런데 상품으로서의 바틱 생산이 자바 각지에서 성행하게 된 것은 유럽의 면포가 활발히 수입되던 1810-20년대 보다 조금 늦은 시기였다. 유럽의 산업혁명에 따른 공업제품이 아시아 각지의 전통상품을 압도한다는 구도는 우리들이 받아들이기 쉽지만, 현실에서 일어난 것은 섬유제품의 시장화, 즉 자가 제품, 자가 소비의 천에서 시장에서 판매하는 천으로의 생산과 소비 패턴의 전환이었다.

1820년대 이후, 자바 각지의 네덜란드인 지방관의 보고에서 현지인이 생산한 자바 바틱이 성행하였다는 기술이 늘고 있다. 오히려 유럽제의 싼 면포가 자극이 되어 현지에서의 시장에 판매할 섬유생산이 증가한 것이다. 그때까지 궁정과 지방영주의 관사에서 자체적으로 소비할 물품을 생산하던 자바 바틱은 시장에서의 판매를 위해 일반인이 생산하게 되어 그 규모가 확산되었다.

이는 어느 면에서 현지의 산업에 유럽제품과의 경정에서 질 수 없는 요소가 있었다고 생각된다. 색, 무늬, 염색의 내구성 등에서 자바의 수작업 바틱은 유럽제의 저렴한 프린트 보다 뛰어났다고도 볼 수 있다. 19세기 중반까지 철도나 도로가 발달하지 못해, 선박에 적합한 큰 강도 없는 자바에서는 북해안의 항구도시까지 쉽게 운반되는 유럽제품도 내륙까지 침투하기에는 역부족이었다. 철도와 도로가 발달한 19세기 후반에는 1840년대로 불리는 스탬프 기법이 발명됨에 따라, 아직 수작업이기는 하나 대량생산 및 저가로 바틱이 제작되어 유럽의 공장제품에 충분히 대항할 수 있었다.

그렇지만 반면에, 성장해 가던 바틱산업은 유럽제의 흰 면포에 의존하였다. 자바 바틱 제조에 사용되던 흰 케임블릭(가는 실로 촘촘히 평직으로 짠 흰 면포)은 이미 1820년대에 유럽에서 수입면제품 중에서 가장 높은 비율을 차지했다. 20세기에는 일본에서 만든 흰 면포가 자바시장에서 우위를 차지하게 되지만, 원료면포를 수입에 의존하는 상태는 일본에서 대형방적공장이 성장하던 1970년대까지 이어졌다. 이 대형방적공장의 시대에 이르러 비로소 인도네시아 국내에서도 프린트 바틱이 주된 생산품목으로 되었다.

자바의 바틱은 옛 전통을 가진 것이다. 지금까지 고가의 제품에서 주로 볼 수 있었던 수작업의 바틱은 특히 그렇다. 그렇지만 동시에 근대의 시장경제에 따른 섬유의 시장화의 움직임, 유럽산 프린트 바틱의 보급, 기계방적의 면실이 가능하게 한 평탄하고 매끈한 케임블릭 무늬(문장을 표현할 때 면과 면 사이의 여백)에는 오늘날 전해지는 자바 바틱의 전통은 잘못된 것이거나 혹은 이미 사라진 것은 아닐까.

발리 사람들과 프린트 바틱

우쓰미 료코(오사카세이케이대학 예술학부 조교수)

'바틱'를 만들지 않았던 발리 사람들

인도네시아의 발리는 동남아시아에서도 손꼽히는 관광지로 유명하다. 자바의 동쪽에 인접한 이 섬에는 예전부터 호직(縞織, 명주), 병(絣, 무늬가 있는 직물-역자주), 무늬가 들어간 직물(紋織), 철직(綴織, 색실로 짠 직물-역자주), 편성물(신축성 있는 옷감-역자주), 인금(印金, 옷감에 금박을 사용한 것-역자주) 등의 기법을 사용하여 다양한 디자인의 염직물을 만들었다. 그러나 무늬염색의 천 '바틱'은 20세기 후반에 관광객을 위한 시장을 염두에 두고, 자바 바틱의 기술이전에 따른 공방이 등장하여 날염을 시작하기 전까지 발리에서는 결코 제작된 일이 없었다. 한편, 자바 바틱과 인도 바틱은 18세기 이전부터 발리에 들어온 것은 틀림없다고 생각된다. 또 그때까지 발리에서 발견된 다양한 바틱 중에는 목제나 금속제의 틀, 실크스크린 등을 사용해서 염색한 프린트 바틱도 포함된다.

수작업의 자바 바틱을 모방한 프린트 바틱

19세기 중반까지 발리에서 허리에 휘감은 하의용 천은 주로 손으로 짠 격자명주 천을 사용했기 때문에, 자바 바틱이 이런 용도로 사용되는 일은 적었다. 단지, 자바 북부지역에서 제작되었다고 여겨지는 고전적인 양식의 자바 바틱에는 하의용 천에 꽤 많은 수요가 있었다고 한다. 이들 천은 중앙에 기하학적인 무늬와 봉황당초 등의 무늬, 양 끝에 수술모양의 무늬가 표현된 쪽색 염색의 자바 바틱으로 [1, 2], 상의를 착용하는 습관이 없었던 여성들이 가슴을 가리는 천이나 어깨에 걸치는 용도로 이용하였다. 1865년에 촬영된 두 명의 귀족여성은 [1]과 같은 기하학무늬 바틱의 겉면에 금박을 덧입힌 가슴가리개 천을 착용하고 있다 [3]. [2]와 유사한 봉황과 같은 무늬가 그려진 바틱도 19세기 후반에 촬영한 그림 속에서 여성들이 가슴가리개와 어깨에 걸친 모습의 사례를 자주 발견할 수 있다 [4]. 이와 동일한 디자인의 자바 바틱은 20세기 전반에도 의례들에 관계있는 여성이 착용하거나, 1980년대에 발리의 수많은 골동품 상점에서 매매되고 있던 점에서 보더라도, 발리 전역에 상당히 보급되었다고 볼 수 있다. 그 중에는 손으로 밀랍을 그려 넣은 자바 바틱도 있었고, 틀을 사용하여 밀랍을 그려 넣은 자바 바틱도 있었다. 언뜻 보아 고전양식의 자바 바틱으로 착각할

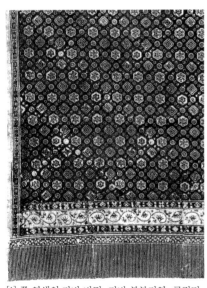

[1] 쪽 염색의 자바 바틱. 자바 북부지역. 국립민족학박물관 (ⓒ요시모토 시노부)

[2] 쪽 염색의 자바 바틱. 자바 북부지역. 국립민족학박물관 (ⓒ요시모토 시노부)

[3] 발리의 귀족여성. 1865년 (ⓒWoodbury & Page. Colijn, H. (ed.). 1912. Neederland India. Amsterdam. Elsevit에서 인용)

정도로 흡사한 프린트 바틱이 19세기 중엽에 네덜란드와 스위스에서 인도네시아 수출용으로 제작되었고 [5], 19세기 후반에는 이와 같은 종류의 유럽산 프린트 바틱도 파리의 여성들에게 사용되었다고 추정된다. 발리에서는 20세기 후반까지 날염은 제작되지 않았기 때문에, 바틱을 선택할 때에 수작업을 한 자바 바틱인지, 틀을 이용한 자바 바틱인지, 혹은 유럽산 프린트 바틱이라는 제작방법의 차이는 상관이 없었을 것이다. 오히려 가슴가리개와 어깨에 걸치는 천 등 전통적인 의상으로서 안정적인 위치를 차지한 자바북부 해안의 고전적 디자인에 근접하는지가 더 중요했다고 볼 수 있다.

발리에서는 20세기가 되자 종래의 격자명주의 사롱을 대신해서 자바 바틱의 사롱이 계급과 성별을 따지지 않고 보급되었다. 또 20세기말에는 자바 바틱의 무늬를 본뜬 스크린 프린트의 바틱으로 착용한 하의용 천이 일반화되었다. 자바 바틱의 하의용 천에 관한 수요가 올라가는 반면, 20세기 후반에 발리의 여성들은 상반신에는 보통 블라우스와 셔츠를 입게 되었고, 이에 따라 고전적인 쪽색 염색의 자바 바틱의 가슴가리개와 어깨에 걸치는 천에 대한 수

요는 적어졌다. 그러나 발리의 예능 속으로 옛 의상양식이 전해지기도 했고, 연극 등에 등장하는 '늙은 여자' 역의 어깨에 걸쳐진 천에는 19세기에 사용되던 쪽빛 염색의 자바 바틱과 유사한 봉황과 수술 장식 무늬가 있는 바틱을 이용하고 있었음을 지금도 확인할 수 있다 [6, 7].

인도 염직물을 본뜬 프린트 바틱과 꽃무늬 프린트 바틱

발리와 인도와의 교역은 1세기경에는 시작되었고, 이후 다양한 인도의 염직물이 상선의 무역품으로 활용되어 왔다. 그 중에서도 발리의 염직문화와 깊은 관계가 있던 것이 서부인도의 구자라트지방에서 직조된 비단의 이카트(經緯絣, double ikat, 직물에 문양을 넣은 기법－역자주) 파트라였다. 파트라는 12세기에는 인도네시아로 전래되었다고 하며, 이카트라는 복잡한 기법을 사용하여 선명한 붉은색을 바탕으로 여러 가지 색으로 나타낸 무늬와, 부드러운 비단실에서 나는 광택이 있는 질감 등, 당시의 인도네시아 염색에서는 볼 수 없던 특징을 가졌으며, 인도네시아 각지에서 지배자들의 권위를 상징하는 의상으로 활용되거나 신격화되었다. 발리에서도 파트라의 단편과 실을

[4] 발리의 하녀. 1865년 (ⓒ Woodbury & Page. Kol, H. V. 1903, Uit Onze Kolonien, Leiden, Sijthoff에서 인용)

[5] 프린트 바틱 샘플 책. 1846－1853년 (블리스코사 소장 (ⓒ요시모토 시노부 2005)

[6] 고전적인 쪽 염색 바틱을 모방한 어깨에 걸치는 프린트 바틱 천을 한 노파인형. 발리. (ⓒ1980년대)

태워서 나는 연기로 병을 치유할 수가 있다고 하는 등 주술적인 힘이 내포되어 있다고 알려져 왔다. 최고급 무역품인 파트라는 그 공급도 한정된 귀중품이었기 때문에, 발리에서는 파트라를 모방한 천(위병과 경위병)을 만들었으며, 동시에 파트라를 모방한 면제품의 인도 바틱에 대해서도 수요가 있었다.

인도로부터 꽃무늬와 생명수 무늬인 인도 바틱도 수입되었다. 발리의 사원이나 귀족계층의 가정에는 오래된 인도 바틱을 많이 소장하고 있거나, 그들을 의례용 천으로서 대대로 계승해 오고 있다.

유럽에서는 19세기 초에 네덜란드에서 파트라와 인도 바틱을 모방한 면 바틱이 작은 목판을 사용해서 제작되었다. 이러한 초기의 유럽산 바틱은 자바에서도 수입되었고 인도 바틱을 대신하여 침대커버 등으로 사용되는 일도 있었지만, 색의 내구성이 약한 단점이 있어 평판은 그다지 좋지 않았다 [Guy 1998: 95, 118]. 그 후에 인도 바틱을 모방한 바틱은 스위스에서도 생산되었고, 20세기 중반까지 인

도네시아 수출용으로 생산되었다.

파트라와 인도 바틱을 모방한 프린트 바틱은 발리에서도 발견되지만, 그 중에는 인도산인지 유럽산인지 확실하지 않은 것도 있다 [8]. 발리에서는 자바 바틱과 마찬가지로 인도 바틱 역시 밀랍을 손으로 직접 그려 넣는 기법이라든지, 틀을 사용하고 있다고 하는 제작기법의 차이는 그리 큰 문제가 아니었을 것이다. 이들은 파트라의 대체품으로 사용되거나, 수작업의 인도 바틱과 동일하게 의례장소에 적합한 의상으로 사용되었다고 생각된다.

20세기 발리에서는 붉은색을 바탕으로 한 꽃무늬 바틱이 힌두교의 의례에서 커튼과 천개 등으로 자주 이용되었다 [9]. 그 디자인은 대개 유럽풍의 꽃무늬였지만, 어디서 생산되었는지는 알 수 없다. 유럽풍 꽃무늬 바틱이 발리에서 의례용으로 사용되었던 것은 그때까지 사용되던 인도 바틱이나 이를 모방한 유럽산 바틱과 같은 외래의 바틱이자 선명한 배색의 꽃무늬라는 공통점을 갖고 있었기 때문이다.

꽃무늬 바틱은 19세기에는 지배자 계층인 발리인에게 전

[7] 6의 프린트 바틱 부분 (ⓒ1980년대)

[8] 파트라를 모방한 프린트 바틱. 인도네시아 (ⓒ요시모토 시노부 2005)

[9] 꽃무늬가 표현된 프린트 바틱을 이용한 의례장소. 발리. (ⓒ1980년대)

통적인 의상의 일부로도 이용되었던 것 같다. 1865년에 촬영한 발리의 한 젊은 왕족은 꽃무늬 프린트 바틱을 사롱으로 착용하고 있다 [10]. 또 19세기말에 촬영한 승려계층의 여성은 약간 커다란 꽃무늬 바틱을 사롱으로 착용하고 있다 [11]. 같은 시기 촬영한 발리 승려는 작은 꽃무늬 바틱의 사롱을 착용하고, 상반신에도 꽃무늬 바틱으로 처리한 긴소매의 상의를 착용하고 있다 [12]. 이들 오래된 흑백사진으로는 세부모습은 자세히 알 수 없지만, 사진 속의 꽃무늬 바틱은 유럽에서 제작되었을 가능성이 높다. 발리에서는 19세기에 바틱을 재단하고 의복으로 만드는 일이 일반적이지 않았지만, 발리의 힌두교 승려는 수호적 힘이 있다고 생각되던 인도 바틱의 긴소매 상의를 착용하는 전통이 이전부터 있었으며, 어느 승려가 착용한 바틱의 상의는 그러한 전통을 따른 것임을 알 수 있다 [13]. 또 15-17세기의 옛 발리어로 쓴 고전문학 중에는 영웅이나 상인들이 인도와 중국 등에서 상선에 무역품으로 적재된 염직물로 만들어진 의상을 입고 있는 모습이 묘사되어 있다. 서민은

구입하기 힘든 무역품 중의 하나인 염직물을 지배자 계층이 신분과시용으로 착용하는 습관은 19세기의 발리인에게도 계승되었던 것이다. 유럽에서 제작된 꽃무늬 프린트 바틱은 인도 바틱에 버금가는 '무역바틱'으로서 19세기의 발리 지배자 계층에 수용되었을 것이다.

지금 발리에서는 일상복으로 하의를 자바 바틱을 본뜬 프린트 바틱을 착용하는 사람이 많지만, 제례 때의 복장과 관광객을 맞이하는 호텔과 레스토랑의 스텝들의 의상에는 발리의 전통염직을 재현한 스타일인 이카트(위병, 緯絣) 및 무늬가 들어간 천을 더 선호하고 있다. 유럽풍의 꽃무늬 프린트 바틱을 정장용으로 사용하는 사람은 거의 없다. 19세기말경, 바틱을 제작하지 않은 발리 사람들에게는 새로운 디자인의 바틱이 도래품(舶來品)으로서 가치가 있었으며, 지배자 계층의 의상으로서도 수용되었다. 그러나 지금은 누구나 저렴한 가격으로 구입할 수 있는 프린트 바틱 때문에 권위를 나타내는 의상과 정장으로서의 매력을 잃은 듯하다.

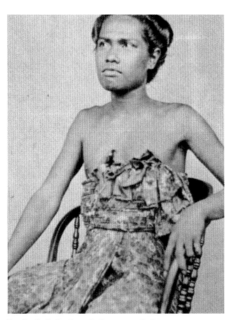

[10] 발리의 왕족남성. 1965년 (ⓒWoodbury & Page. Museum voor Volkenkunde Rotterdam. 1988. Toekang Potrer. Amesterdam: Fragment Uitgeverij에서 인용)

[11] 발리의 승려계급 여성. 19세기말 (Neeb, C. J. 1897. Naar Lombok. Surabaya: F. Fuhri & Co. 에서 인용)

[12] 발리의 승려. 19세기말 (Neeb, C. J. 1897. Naar Lombok. Surabaya: F. Fuhri & Co. 에서 인용)

일본의 프린트 산업과 인도네시아, 아프리카 수출용의 프린트 바틱

우에오카 타카마사(오사카예술대학 대학원 예술연구과 대학원생)

무로마치시대 말기부터 에도시대 초기에 걸쳐서 인도 바틱과 자바 바틱이 남만(南蠻)무역, 홍모(紅毛)무역을 통해 일본에 전해졌다. 이들은 쇼군(將軍)과 다이묘(大名)를 비롯해서 당시 사람들의 관심을 끌었고, 정장용 겉옷(陳羽織)과 오비(帶), 차 도구 등에 사용되었다. 막부(幕府) 말기부터 메이지시대에는 일본에서도 바틱을 모방한 모조품이 시도되었고, 나베시마 바틱과 사카이 바틱이라는 말하자면, '와 바틱(和更紗)'이 탄생하였다. 제작과정은 틀 염색기법이 응용되었지만, 내수성이 약한 것이 결점이었다. 그후 바틱의 모조품 제작은 메이지시대 후반에 유럽에서 기계를 이용한 프린트기술이 도입되면서부터 다시 활성화했다. 유럽산 프린트를 갖춘 근대적 프린트 산업의 발흥과 함께 프린트 천의 생산도 급속히 증대되었다.

기계 프린트의 개시에서 바틱 수출국으로

메이지 정부가 추진한 식산흥업(殖産興業), 수출 진흥책을 바탕으로 일본의 방직산업은 급속히 발전하여 1880년대 말에는 대부분의 기업이 직물부분으로 진출했다. 이 흐름에 따라 1897년 이후에 면실과 면포는 중요한 수출품이 되었고, 주로 중국과 한국으로 수출되었다. 프린

트 천의 원판으로 사용된 흰 무명천(金巾, 포르투갈어로 canequim, 이음새가 촘촘하고 얇은 바탕의 흰 면포-역자주)도 활발히 제조되어 수출되었다.

1897년 5월 3일, 교토에서 무늬염색(友禪)을 경영하고 있던 호리가와 신자브로(堀川新三郎)가 영국 맨체스터로 여행을 떠났다. 나중에 기계프린트의 원조 격으로 여겨진 호리가와는 염색연구를 위해 영국 유학중이었던 기쓰가와(吉川 喜作)의 안내를 받아, 롤러프린트기와 프린트용 무늬를 조각한 롤러(조각된 부분에 염료와 안료 등을 주입하고, 바탕 천으로 옮기는 원통형의 것) 등을 매입하고 귀국했다. 다음 해 기쓰가와와 함께 도착한 프린터를 호리가와의 공장에 설치하고, 같은 해 4월 2일에 얇은 모슬린과 기모(起毛)의 플란넬이라는 두 종류의 면직물 프린트 산업이 시작되었다.

흰 면포를 이용한 프린트 천의 생산은 1909년 9월에 완성한 일본제포주식회사의 후쿠미 공장에서 제작되기 시작했다 [1]. 이곳은 영국의 마더 플런트사의 제품 외에 프린터 12대를 설치하고, 바탕천의 정련, 표백기계와 롤 조각부도 설비된 당시 최대 규모의 최첨단 프린트 공장이었다. 일본제포주식회사는 처음에는 얇고 가벼운 평직물의 프린트 생산을 주로 하였는데, 새롭게 시작한 흰 면포의 프린

[1] 일본 직물주식회사 전경(『東洋染色十年史』 東洋染色, 1947에서 인용)

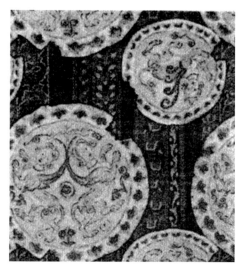

[2] 일본 직물주식회사 프린트 바틱 디자인
「날염 롤러를 응용한 바틱문양 도안」 출품작(『農商務省第六回 工藝展覽會圖案』 畵報社, 1919에서 인용)

트 생산도 회사의 수요와 일치하면서 호평을 받게 되어 대규모 생산체계를 갖추게 되었다 [2].

이처럼 바틱의 국내 양산화가 개시되자, 남만무역에서 시작된 인도 바틱과 자바 바틱, 그리고 네덜란드 바틱을 비롯한 유럽산 프린트 바틱 등 해외에서 들어온 바틱의 수입은 크게 감소했다. 또 메이지시대 때 유럽에서 수입한 프린트 바틱은 영국이 압도적으로 많았고, 스위스와 독일이 그 뒤를 이었다. 『대일본외국무역연표』에 따르면, 1907년의 수입액은 약 249만엔이었는데, 1912년에는 42만엔, 1924년에는 1.8만엔으로 급격히 감소하였다. 이 때문에 수입품으로서 '바틱'의 항목은 통계수치 면에서 서서히 자취를 감추게 되었다.

일본 프린트 천의 대부분은 면실과 면직물처럼 중국과 한국이 주된 수출국이었다. 제1차 세계대전의 영향으로 영국제품이 아시아에서 후퇴하고, 일본의 면직물 수출이 인도와 네덜란드령 동인도(지금의 인도네시아)로 확산된 것을 배경으로, 프린트 바틱도 이들 지역으로 수출되었다고 볼 수 있다.

네덜란드령 동인도로, 그리고 아프리카로

네덜란드령 동인도를 대상으로 한 프린트 바틱(자바 바틱의 디자인을 모방한 프린트 천)에 대해서 『통상공보』에는 '제조단계의 공정이 무척 힘들고 또한 판매상의 위험에서도 벗어나기 위해 당연히 직조명주의 생산을 꾀해야 한다(제128호, 1914년)'라고 해서 모조바틱 수출은 시기상조라는 주의를 주고 있다. 또 '일본에서 수출하려는 가공면직물은 날염 바틱, 명주천, 염색된 면포를 주력상품으로 하며... 수입수량은 아직 매우 적고... 일본산 날염 바틱은 희거나 검고, 또 쪽빛의 것이 많다(제855호, 1921년)'라고 되어 있어서 수입량이 적다는 점과 바틱의 색감을 전하고 있다. 『남양협회잡지』에는 '전쟁(제1차 세계대전-

편자 주)의 중반부터 조금씩 자바로 수출되었지만, 자바사람의 기호에 맞지 않고 또 가격이 너무 낮아 평가할 가치가 없었다(제11권 제10호, 1925년)'라고 기재되어 있어서 자바를 대상으로 한 바틱 모조품의 평가는 매우 낮았다.

이 때문에 바틱 모조품의 개량이 진행되어 1931년경에 일본제포주식회사에서 남양(동남아-역자주)을 대상으로 한 바틱 모조품 가공에 착수하였고, 원래 전통적인 자바 바틱(아마도 사롱)의 디자인 구성을 그대로 답습한 프린트 바틱을 생산하기 위해 길이가 2야드나 되는 특수한 롤을 사용하여 제작하였다.

그러나 이미 자바에서는 짠띵 이외에 짭(스탬프 방식으로 천에 밀랍을 찍는 도구)을 사용한 바틱을 생산하기 시작했고, 일본은 1920년대 전반부터 바틱용 원단인 면포 수출로 재빨리 변경했다. 이러한 상황 속에서도 바틱의 모조품 수출은 계속되었고, 제2차 세계대전 후에 일본의 모조품은 유럽제품을 능가하는 꽤 많은 양을 생산하였다. 1950년대에 인도네시아 정부는 자국의 바틱산업의 보호육성을 방해한다고 하여 모조 바틱에 대한 수입제한 조치를 내렸다.

한편, 아프리카의 수출용 프린트 바틱을 살펴보면, 1928년에 니시자와 야지로 상점(西澤八三郎, 지금의 니시자와

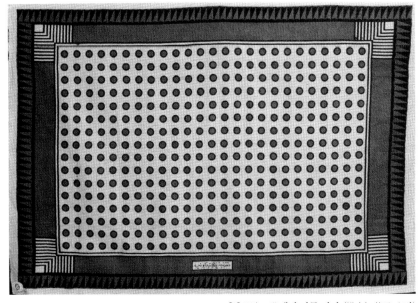

[3] 昭南工業에서 만든 캉가 (織本知英子 소장)

주식회사)이 동아프리카에 캉가를 수출했는데 이것이 적중했다. 그리고 이 시도를 적극적으로 지원한 것도 앞에 기술한 일본제포주식회사였다. 아프리카로 수출하기 위한 프린트 바틱에는 색채와 무늬, 제작기술, 크기 등에 따른 왁스프린트 모조품, 인디고 프린트, 캉가 등 다양한 종류가 있다. 니시자와는 일본제포주식회사의 기사였던 이노우에와 협력하여, 디자인, 배색, 마무리, 그리고 날염의 매력을 프린트기계에서 얼마만큼 잘 표현할 수 있는지에 대해 연구했다. 이 제품은 밀랍과 수지를 섞은 혼합왁스를 이용한 진품 왁스프린트를 모방한 모조품으로서 벨기에령 콩고로 수출되었다. 제2차 세계대전이 일어나기 전에 아프리카를 대상으로 한 프린트 바틱의 수출은 니시자와가 선두에 섰으며, 그 위상은 압도적으로 강했다. 다른 상품의 진출이 그나마 눈에 띄게 된 것은 전쟁이 끝난 다음이었다.

동양방적주식회사는 1954년, 이미 유럽에서 개발된 기술을 응용한 진품 왁스프린트 제작에 착수하였고 1956년 말에 본격적인 생산에 들어갔다. 이것은 동양방직·이토 타다시·FAO사(프랑스)와의 공동개발상품으로, 서아프리카(특히 가나와 나이지리아) 수출용품 중에서 대표상품이 되었다. 현지에 뿌리를 내린 탄탄한 기반을 바탕으로 의복 수출이 순조롭게 진행되었으며, 1958년에는 약 200만 평방야드를 축적할 정도로 성장했다.

대동염공주식회사(지금의 대동마르타염공주식회사)는 1960년경 일본 내에서 동아프리카를 대상으로 한 수출량(연간 1,000만 야드 이상) 중에서 150-200만 야드의 캉가를 가공하고 있었다. 이 시기 쇼난(昭南)공업의 제품인 캉가 [3]가 일본수출량의 70%를 차지하였는데, 평판이 좋은 것을 계기로 보다 품질이 높은 제품을 생산하기 위해 고심했다. 1963년, 7대 중에서 제4호기를 개조하여 왁스프린트의 모조품 [4]과 캉가용의 이상적인 프린터를 구비하였다. 이에 따라 색의 가짓수를 8색에서 10색으로 늘릴 수 있었으며, 최고급 제품의 생산과 효율성의 향상이 가능하게 되었다.

수출섬유 의장(意匠)의 보전등록을 시행하고 있던 일본섬유의장센터의 특수의장등록 건수를 살펴보면, 아프리카 수출용 프린트 바틱의 전체 등록건수에 대한 비율은 1960년과 1968년의 60%를 최고점으로 해서 1970년까지 50% 전후를 유지하고 있다. 그러나 1975년에는 23%, 1979년에 불과 2%로 격감하고 있다.

아프리카를 대상으로 한 프린트 바틱 수출은 1950년대 이후에 각지에서 일어난 독립운동의 영향과, 자국산업의 보호육성을 위한 수입 제한령에 따른 수출난항과 자급화의 진전, 내전 등으로 점차 감소되었다. 그리고 1970년대부터 80년대 전반에 걸쳐 서서히 자취를 감추게 되었다. 그 후 일본 기업은 제품 대신에 현지공장으로 기술지도자를 파견함으로써 생산량 증가에 협력하였다.

[4] 大同染工에서 만든 모조 왁스프린트. 특히 자바 프린트로 불리는 자바 바틱의 모조품 (大同マルタ染工株式會社 소장)

캉가 – 동아프리카와 서인도를 잇는 프린트 바틱

가네타니 미와(교토대학 인문과학연구소 강사)

캉가란 동아프리카 해안에서 여성이 착용하던 바틱이다. 캉가의 기원에 대해서는 여러 가지 설이 있어 정확한 것은 알 수 없다. 일반적으로 19세기 말에 잔지바르의 여성이 손수건을 판매하고 있던 목판 프린트의 바틱을 잘라 서로 이어서 사용하던 것에서 착안한 것이 캉가의 시작이라고 한다. 원래 손수건의 크기에 맞춰 6장으로 조각낸 것을 다시 반으로 잘라 손수건을 세로로 2장, 가로로 3장씩 이어지도록 재단했다고 한다. 이 새로운 디자인은 포르투갈 상인이 아프리카로 수출하던 천의 이름과 겹쳐서 레소(leso)라고 불렸다. 이미 기업가 정신으로 무장한 해안부의 상인은 6장으로 이어진 레소를 한 장으로 프린트한 천을 잔지바르에서 판매했다. 초기의 디자인은 녹색이었고, 진한색의 바탕에 흰 반점이 있었다고 추정된다. 이것을 구매한 사람이 보로보로 섬의 날개 무늬에 빗대어 '캉가(kanga, 스와힐리어로 보로보로 섬이란 뜻)'로 이름을 지었다고 한다 [Hanby and Bygott 1984].

캉가의 탄생에는 인도 서부 구자라트의 염직물과 직인, 상인들이 관여했을 것으로 짐작된다. 인도, 구자라트와 아라비아 반도, 동아프리카와의 사이에는 역사적으로 교역을 통한 연결점이 있다. 구자라트의 항만은 8세기부터 인도양 해역교역의 거점이었고, 구자라트 상인은 세계각지로 이주하여 구자라트의 바틱 등을 교역하고 있었다.[1] 아라비아 해에 면한 구자라트의 주요한 항만에는 칸바야, 스라트, 디우 등이 있다. 구자라트의 서쪽 끝에 위치하는 카치는 16세기에 힌두왕조가 성립하였고, 교역항인 만두비는 17세기의 무갈 시대에 메카 순례의 출발점이었다. 목조선박의 건조 및 이에 따른 아라비아 반도, 동아프리카와의 계절풍을 활용한 교역이 이루어졌다. 19세기에 동아프리카의 노예교역을 담당했던 자가 이 카치 상인이라고 한다 [富永 2001].

캉가 탄생의 경위는 한 가지가 아니다. 염색과 프린트 바틱용의 목판 산업에 연계된 직인과 상인의 이동, 각 지역의 의복에 관한 관습이 바다를 건너 서로 섞이고 영향을 주고받아 탄생했다고 여겨진다. 여기서는 여러 과정 중에서도 초기 캉가의 디자인에 영향을 주었다고 여겨지는 인도산 바틱에 대해 설명하겠다. 동아프리카 해안부에서 19세기에 탄생한 스와힐리 문화는 아랍과 인도와의 해역교류의 산물이었다. 이처럼 바다를 건너 문물과 인적 교류가 매력적인 캉가를 탄생시켰다고 하나의 시론으로 밝혀둔다.

캉가 이전의 인도산 프린트 바틱

인도에서 동아프리카에 수출되던 주요한 항목은 면포였다. 리처드 버튼이 쓴『중앙아프리카호수지대(中央アフリカ湖水地帶)』[Burton 1860]에는 동아프리카에 수출되던 천은 모두 21종류였고, 이름이 정해져 있었다고 한다. 이 중에서 면포는 15종류였는데 이 중에서 캉가란 명칭은 볼 수 없다.

미국 역사가 페어는 캉가의 전신인 레소라는 손수건으로 제작된 천이 잔지바르에 수입되었고, 그것을 현지 여성이 조각을 모아서 재단한 것은 1870년대 후반이라고 기술하고 있다 [Fair 1998]. 이것을 캉가라고 본다면, 1860년 당시에는 캉가라는 명칭은 없었다고 볼 수 있다. 또한 레소라는 명칭도 목록에 없다.

페어에 따르면, 캉가의 유행은 잔지바르의 노예해방과 관련이 있다고 한다.[2] 노예제가 폐지된 1897년 전후부터 그때까지 노예였던 사람들은 노예의 신분을 연상시키는 옷을 벗어던지고, 새롭고 선명한 천을 입기 시작했다. 이 새로운 천이 캉가였다고 페어는 주장한다. 노예여성은 카니키라는 인디고로 염색된 한 장의 천으로 가슴에서 아래로 휘감고 있었다 [Fair 1998]. 카니키는 인

---

1) 구자라트 상인에 대해서는 [家島 1993] 및 [長島 2000]을 참고.

도산의 인디고로 염색한 조잡한 면포라고 버튼은 기술했다. 19세기 말이 되자, 해방된 노예여성들은 잔지바르에서 생산된 컬러풀한 면포의 바틱, 또는 수입된 키탐비(kitambi)라는 천을 구입하였고, 그후 등장한 것이 캉가였다 [Fair 1998].

페어가 말하는 키탐비란 염색된 면포란 뜻으로, 페어가 보여준 사진에는 바틱이 아니라, 무늬가 없는 바탕천에 염색만 된 것처럼 보인다. 버튼은 키탐비란 발사티라 불리는 인도산의 염색된 면포를 미국인이 즐겨 부른 명칭이라고 보았다. 키탐비는 색과 디자인에 따라 몇 종류로 나눠지는데, 하나는 폭의 1/4이 빨강, 나머지가 짙은 감색으로 염색된 것으로, 잔지바르에서는 하반신을 감는 천으로 판매되었다고 한다. 이것이 아마도 페어가 시사하는 키탐비일 것이다. 다른 한 종류는 내륙부와 해안부의 교역에 연계되어 있던 냠웨지족이 애호한 키탐비 밤야나라고 불리는 천으로, 꼭두서니 색(적색)에 녹색이 첨가된 뭄바이 제품의 흰 천으로, 인도 또는 잔지바르에서 다른 색으로 프린트된 천이라고 한다.

버튼의 저서에 있는 수입품 목록에는 캉가의 전신이라고 할 만한 수입산 바틱이 몇 개 보인다. 인도에서 수입한 바틱은 이미 기술한 키탐비(바르사티) 외에, 므수투(msutu), 잠다니의 4종류이다. 천의 견본도 사진도 없기 때문에 어떤 디자인의 천이었는지 버튼의 책만으로는 상상하기 어렵다. 이 중에서 므수투는 직접 캉가와 연관이 있는 천이었을 것으로 생각된다. 버튼의 말에 따르면 므수투란 다음과 같다.

이 천이 캉가의 디자인과 연결되는 천이라고 생각되는 이유는 디자인의 색 무늬 때문이다. '꼭두서니(붉은색) 색의 바탕천에 인디고를 충첩한다'고 하는 염색방법은 구자라트에서 면포를 염색할 때 사용하던 방법으로, 색은 진한 연지(臙脂)에서 검은 색에 가까운 색으로 염색된다. 또 흰 반점이 다른 부분을 염색한다고 하는 것은 홀치기염색에 따른 반점무늬, 또는 홀치기염색 무늬를 목판으로 프린트한 무늬라 생각된다. 진한 바탕색에 흰 반점무늬는 캉가라는 이름의 기원이라고 볼 수 있는 보로보로 섬의 날개 무늬이다. 캉가의 디자인이 보로보로 섬과 유사하기 때문에 캉가라는 이름이 붙여졌다는 것은 이미 설명했다.[3] 또 키스투라는 이름도 주목할 필요가 있다. 키스투란 지금도 의례용으로 사용되는 캉가 디자인 중의 하나이다 [織本 1998].

캉가 디자인의 기원은 인도산 홀치기염색 천?

여기서 하나의 가설을 세워보자. 인도산의 홀치기염색을 한 천이 캉가 디자인의 기원이 아닐까 하는 점이다. 므수투라고 하는 천의 반점무늬는 필시 구자라트에서 널리 생산되던 홀치기염색(반다니 Bandhani)의 무늬일 것이다. 구자라트산 홀치기염색 중에서 가장 오래된 것은 15세기로 거슬러 올라간다 [Murphy&Crill 1991]. 므수투 염색을 하던 구자라트의 교역항 스라트에서는 1850년부터 1960년대에, 홀치기염색을 한 비단 스카프와 사리를 파루시(인도에 거주하던 이란 출신의 조로아스터교(배화교) 신자)에게 판매하기 위해 생산하였다. 홀치기염색뿐만 아니라, 이 무늬를 본 딴 목판 프린트의 바틱도 생산되었다 [Murphy&Crill 1991: 53-54, 61]. 1866년의 포브스 왓슨(Forbes Watson)의 인도 천의 샘플에도 스라트 제품의 홀치기염색이 있었다 [1]. 이 샘플은 영국동인도회사가 인도를 대상으로 섬유제품 마케팅에 활용하기 위해 제작된 것이다. 런던의 빅토리아엔 알버트 박물관에도 동

2) 잔지바르의 노예교역의 역사에 관해서는 [富永 2001]을 참고.

3) 스와힐리어로 보로보로 섬을 의미하는 캉가라는 명칭의 유래는 포르투갈어의 pintado란 말과 관계가 있을 것이다. 염직사 연구자 Irwin에 따르면, 17세기에 포르투갈어로 손으로 염색한 면포를 일컫는 말로 pintado가 있다. 이 말의 어원으로 pintar(그리다)와 pinta(반점, 반점무늬)가 있고, 후자는 pintada(보로보로 섬)의 날개 모양과 바틱무늬가 유사하다는 점에서 바틱을 일컫는 용어로서 사용되었다는 설을 소개하고 있다 [Irwin 1959]. 다만 이 설에 대해서는 구체적인 검증이 필요하다.

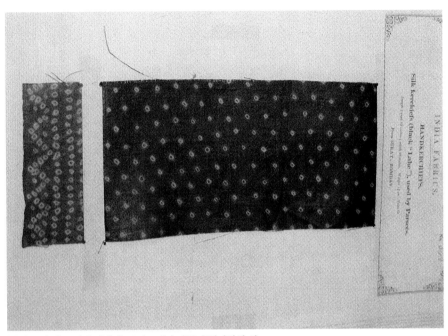

[1] 왓슨의 인도 샘플 책에서. 스라트에서 만든 홀치기염색 천.

[2] V&A박물관 소장의 스라트에서 만든 홀치기염색 천.

일한 천이 소장되어 있다 [2]. 다만, 모두 비단으로 면포는 없다.

홀치기염색은 유럽에서 일찍부터 수출되었다. 영국동인도회사는 1720년대에 '반다나'라고 불리는 손수건을 주문받기 시작했다.[4] '반다나'란 구자라트어로 홀치기염색을 의미하는 '반다니'에서 유래한다. 홀치기염색뿐만 아니라 프린트에도 반점무늬나 꽃무늬가 표현된 손수건이 생산되었다. 지금까지 이와 동일한 종류의 손수건은 네덜란드 동인도회사에서 taffa de foolas라 불리는 손수건을 유럽으로 가져오곤 했다. 인기가 있었던 '반다나 손수건'은 유럽에서 바틱의 모조품으로 생산되었다. 이 바틱에 나타난 반점 무늬의 '반다나 손수건'은 영국에서 유럽의 다른 나라들로, 또 이곳에서 서아프리카로 수출되었다. 1823년 콩고강 유역과 1841년 카르멘에서 유럽과의 교역품 목록 중에 반다나의 명칭이 보인다.[5] 이처럼 홀치기 무늬의 손수건은 유럽을 경유해서 아프리카로 수출되었던 것이다.

네덜란드의 로테르담 박물관에 소장되어 있는 프린트 바틱 샘플 책 중에 1899년에 캉가가 단절된 시기가 있지만, 그 중에는 분명히 구자라트의 홀치기염색 천과 유사한 무늬가 있다. 검은

4) 수출항은 동인도의 벵갈이며, 반다나 손수건은 벵갈의 카심 바자르에서 생산되었다 [Murphy & Crill 1991]

5) Captain John Adams의 인도와 유럽의 텍스타일 리스트 중에 적혀있다. Remarks on the country extending from Cape Plamas to the River Congo. 1832. Lt. Edward Bold. The Merchant's and Mariner's guide. 1981. 인용은 [Murphy & Crill 1991]

| [3] 로테르담 세계박물관 소장의 캉가 천 조각. | [4] 인도 구자라트 카치, 아주락뿌르 마을의 프린트 직인 (ⓒ 2005) |

원단에 붉은 반점, 혹은 검은 원단에 붉은 색과 흰색의 반점, 빨간 원단에 검은 반점의 3종류가 있다 [3]. 몸바사의 카데르디나가 디자인한 캉가 중에도 또 현재 생산된 캉가 중에도 홀치기 무늬의 캉가를 볼 수 있다.

또 홀치기염색 천과 캉가의 디자인 패턴도 매우 유사하다. 캉가는 장방형으로 사방이 경계로 둘러싸여 있다. 이러한 디자인의 패턴은 아프리카에서 사용되던 다른 염직물에서는 볼 수 없는 인도산 천의 특징이다.

홀치기염색의 생산지는 스라트 이 외에도 있다. 아마다바드, 잠나가르, 포르반다르, 카치 등을 들 수 있다. 또 홀치기염색의 생산지는 바틱의 산지이기도 하며, 홀치기무늬의 프린트 바틱이 목판을 사용하여 생산하고 있다 [4]. 카치는 무슬림의 카트리라는 공동체가 염색을 생업으로 삼고 있지만,[6] 그들은 염색천과 여성용 염색천을 마스카트에 수출하기도 한다.[7]

여기까지 정리해 보면, 캉가라는 이름이 성립하기 전에 홀치기염색의 므수투가 인도에서 동아프리카로 수출되었고, 같은 시기에 유럽에서도 홀치기무늬의 손수건이 동아프리카로 들어왔다 (레소가 홀치기 무늬의 손수건을 의미하는지는 앞으로의 연구를 기대할 수밖에 없음). 홀치기무늬가 보로보로 섬의 날개로 연상되어 캉가라는 명칭이 생겼다고 볼 수는 없을까.

구자라트의 홀치기염색과 홀치기무늬의 바틱은 현지회사에서 길상의 의미를 가지며, 결혼식 때의 의상과 피로연 의상(오다니)와 사리로 착용했다 [5]. 만약 위에서 말한 가설이 틀림없다면, 이처럼 지방회사에서 특정의 의미와 용도를 갖는 천은 멀리 바다를 건너 교역품으로서 유럽과 아프리카로 전해져 각각의 장소에서 새로운 용도와 가격, 의미를 가진 사람들에게 착용되었을 것이다.

---

6) 카트리에 관해서는 森谷(2005)를 참고.

7) 카치의 프린트 바틱 산지에서는 '캉가'라는 명칭의 천이 생산되었지만, 이것과 동아프리카에서 사용하는 캉가와의 관계에 관해서는 보다 자세한 연구가 필요하다.

현대의 구자라트산 캉가

다음으로 현재, 캉가가 인도의 구자라트에서 생산되고 있는 상황에 대해 서술하겠다. 캉가의 산지는 제트뿌르(Jatpur)이다. 이곳은 번(藩) 왕국시대부터 천에 관세를 매기지 않았다는 점으로 보아 수입된 천을 매매하는 중심지였다. 16세기부터 17세기에 염색을 전업으로 하는 카스트인 카트리가 이주해 왔다. 목판을 사용한 바틱 생산지로서 발전한 것은 1940년대의 일로서, 1947년에는 수작업으로 틀 염색의 일종인 스크린 프린트가 도입되었다. 1980년대에는 자동 스크린 프린트기가 도입되었던 시기와 때를 같이 하여 인도에서의 캉가 생산도 시작되었다.

캉가는 20세기 초기에는 유럽의 생산지에서 시작되었다. 이미 기술한 것처럼 네덜란드 박물관에는 1899년의 캉가라고 기록된 샘플이 존재한다. 1928년부터 1970년대 말까지 일본이 캉가 생산을 이끌었지만, 탄자니아와 케냐에서도 생산되었다. 이와 같은 생산지의 변천은 가격경쟁에 따른 경우가 많다. 제트뿌르가 그 전쟁에서 승리함으로서 캉가 생산지로서 이름을 올리게 되었던 것이다. 또 흥미로운 것은 유럽에서 인도로의 바틱기술이 반대로 도입된 점이다. 원래 인도의 전통적인 목판을 사용한 바틱은 유럽에서 인기를 얻어 대량 수출되었다. 유럽의 바틱기술 및 디자인의 발전은 인도산 바틱에서 비롯된 점이 크다. 이번에는 반대로 유럽에서 시작한 기술을 바탕으로 한 바틱이 인도에서 생산되는 것이다.

[5] 인도 구자라트 카치, 홀치기염색 천을 착용한 자트 여성 (ⓒ 2005)

[6] 가트에서 세탁한 천을 운반하는 모습. 인도 구자라트 젯뿌르 (ⓒ 2005)

2006년의 시점에서 제트뿌르 전체의 염색공장은 약 2천 정도 되며, 이중에서 80~90곳이 아프리카를 대상으로 무명천과 폴리에스테르의 바틱(캉가와 키텐게)을 생산하고 있다. 염색은 공장 안에서, 세정과 건조는 교외의 가트라 불리는 강 근처에서 하고 있다 [6]. 바틱의 생산고는 한 공장 당 1일 3만 메톨, 캉가는 1일 6천장에서 만장 정도이다. 캉가의 생산을 1미터 당 0.5엔부터 1.25엔의 염색비용이란 저렴한 가격으로 생산되고 있다. 그러나 제트뿌르의 공장 주들은 비용보다 저가의 중국산 캉가와의 경쟁에서 싸워나가고 있다. 모두 뭄바이의 상인에게 주문을 받아 생산지에서, 뭄바이의 상인은 사우디아라비아에서 캉가를 수출하고, 사우디아라비아에서 동아프리카제국으로 보내는 것이다. 이처럼 인도 서안, 사우디아라비아, 동아프리카라는

캉가의 교역네트워크가 19세기부터 변함없이 내려오고 있다고 하겠다.

구자라트에서 동아프리카로 이주한 사람들은 지금도 친족관계, 혼인관계를 같은 고향사람인 카스트들과 맺고 있다. 며느리가 친정으로 돌아올 때에는 친척과 가까운 사람들에게 선물로 캉가를 가져왔다. 카치의 촌락에서 이와 같은 캉가가 소중히 보존되거나, 목욕깔개와 같은 담요로서 사용되고 있음을 엿볼 수 있다.

이처럼 동아프리카와 서인도는 바다를 넘어 사람과 물건의 네트워크가 숨 쉬고 있다. 캉가라는 천은 이러한 교류를 연상시키는 좋은 매개체인 셈이다.

바틱 논단

[현대의 프린트 바틱]

사랑스러운 캉가

오리모토 치에코(직물연구가)

탄자니아의 중심도시, 다르에스살람의 거리에 포목점만 즐비한 곳이 있다. 거리에는 전문매장이 들어서 있고, 그 앞의 보도에는 천을 높이 쌓아올리고 길거리에서 장사하는 사람들로 넘친다. 이곳은 언제나 활기가 넘치고 세련되고 멋진 여성들이 즐겨 찾는 곳이다. 이들이 관심을 갖는 것 중의 하나가 바로 캉가이다.

캉가란 탄자니아와 케냐 등 동아프리카 국가에서 애용하는 한 장으로 된 천을 의미한다. 그 중에서도 스와힐리 문화의 영향이 강한 연안부와 지방도시에서 가장 많이 사용된다. 캉가는 2장씩 판매하는 것이 일반적이다.

이 거리를 오가는 여성들도 자신만의 캉가 스타일을 즐긴다. 캉가 한 장을 허리에 감고, 또 한 장을 어깨에 캐주얼하게 걸치거나, 원피스 위에 다시 감기도 한다. 허리에 키텐게(동아프리카의 연속무늬 프린트 천)를 감고, 상반신에는 캉가로 조합하는 사람도 있다. 캉가 자락을 바람에 휘날리면서 상쾌하게 걷고 있는 여성들의 모습은 너무나도 멋지다. 그리고 번뜩이는 태양의 햇살 아래에선 더 멋스럽다.

캉가는 집 안에서도 실내복이나 목욕가운, 잠옷 등으로 사용된다. 잔지바르에서는 향기가 나는 캉가를 부부가 똑같이 맞춰 입고 잠자리에 드는 습관도 있다. 실용적인 천으로 매우 소중하게 다뤄지지만, 아기를 등에 업을 때 묶는 끈이나, 머리에 무거운 것을 올릴 때 머리 위에 대는 똬

리로 사용되기도 한다. 또 허리에 맨 캉가는 때론 지갑 대신으로 이용된다. 테이블보와 칸막이, 의자 위의 쿠션처럼 인테리어에도 쓰인다. 해변을 산보하는 '관광 낙타'의 시트 커버로 사용한 예도 있다. 이처럼 한 장의 천 조각이지만 그 쓰임새는 자유분방하다.

캉가는 스와힐리의 관습과 의례와도 깊은 관계가 있는데, 결혼식 때 양가의 참가자들이 어울려 입는 '사레(sare=제복)'와 축제 의상으로 활용되며, 반대로 상복, 시신을 매장할 때의 천으로도 쓰인다.

또 선물용으로도 매우 좋은데, 출산과 성인식, 귀성선물, 크리스마스와 이슬람 등의 종교행사 때도 축하의 마음을 담아 선물하곤 한다. 어떤 때는 신상품이 아닌 사용한 것을 선물로 주는 경우도 있어서 주는 사람의 따뜻한 마음을 느낄 수 있다. 잔지바르에서는 매월 하순에 적어도 한 세트의 캉가를 아내(일부다처제에서는 아내들에게)에게 선물을 하며 좋은 남편의 이상적인 모습으로도 비춰진다.

조용히 자신의 주장을 내세우는 캉가

캉가의 캉가다운 점은 한 장 한 장에 '지나(jina=이름)'라는 스와힐리어의 문구가 찍혀있는 점이다. 사람들은 사회생활과 인간관계에서 그때의 상황과 자신의 기분과 어울리는 '지나'가 프린트된 캉가를 입거나, 선물함으로서 마음에 담은 메시지를 대신하기도 한다. 예를 들면, 가까운 친구와 말다툼을 했을 때 '주위 사람과 잘 지내지 못하는 사람은 누구?'라고 쓰인 캉가를 사용함으로서 반성하고 있다는 점을 조용히 밝히거나, 바람피운 남편에게 '이곳저곳 고기집을 찾아다녀도 어느 집이나 모두 똑같은 맛'이란 문구가 프린트된 캉가를 아내가 입는다든지, 그 남편은 '좋아하는 사람은 당신이예요'라고 쓰인 캉가를 선물함으로서 아내의 기분을 살피기도 한다. 또 '인생은 산과 계곡의 긴 여행', '이 세상은 고통과 즐거움의 그릇'이라는 함축된 말이 쓰인 캉가도 있다.

이들은 몇 예에 불과하지만, '지나'에는 반대의 의미를 가진 것도 많아서 쓰임새에 따라 인간의 다양한 심리적 갈

[1] 무슬림 여성에게 캉가는 예배용 정장이다. 왼쪽 여성은 캉가와 키텐게를 조합해서 입고 있다.

[2] 캉가는 아기용 포대기로도 매우 요긴하게 쓰인다.

등과 미묘한 마음까지도 표현해 준다. 동아프리카에서는 '입으로 말하는 만큼 눈으로도 말한다'가 아닌 '입으로 말하는 만큼 캉가로도 말한다'라는 말이 있다. '지나'를 다른 사람 몰래 입고 싶을 때는 뒤집어서 입거나 문구를 바꾸어 입기도 한다.

시대를 반영한 캉가 디자인

화려하고 대담하면서 힘이 넘치는 가운데 사랑스러움도 느껴지는 개성 넘치는 디자인이 캉가의 또 다른 매력이다. 기본적으로 사방의 가장자리와 중앙부분으로 구성되지만, 그 디자인은 실제로 매우 다양하다. 꽃과 초목, 카슈넛츠와 사이잘삼(sisal hemp) 등의 농산물, 현시대를 대변하는 무기, 추상무늬와 기하학적 무늬, 아라베스크 무늬 등 다양한 모티프로 디자인되어 있다.

캉가는 19세기 후반부터 영국, 네덜란드, 스위스 등 유럽에서 프린트가 시작되었고, 나중에는 일본, 인도, 중국에서도 제작된 기나긴 역사를 갖는다. 네덜란드에서 제작된 나비넥타이 무늬와 꼭 닮은 것이 현재 탄자니아에서 제작된다거나, 소말리아 수출용으로 일본에서 제작된 것이 리메이크되어 케냐와 탄자니아에서 관광객들에게 캉가 제품으로 인기를 끌고 있는 점도 흥미롭다.

탄자니아에는 정치적 캠페인과 사회적인 계몽활동에 활용되는 예가 많다. 최근에는 에이즈 퇴치와 병원출산 등 보건위생에 관한 디자인의 캉가도 등장했다. 국민과 나라에 큰 일이 생기면, 그것과 관련된 메모리얼 캉가도 자주 만들어졌다. 1999년에 니에레레 초대대통령이 서거했을 때, 그의 얼굴이 그려진 수많은 캉가가 등장하였고, 이를 몸에 휘감은 여성들은 애도의 뜻을 대신했다. 지금은 2005년 12월에 취임한 자카야 키크웨테 대통령의 캉가가 인기를 끌고 있다.

약 10년 전과 비교해 볼 때 캉가의 인상도 많이 바뀌었다. 케냐에서 1975년부터 좋은 품질의 캉가를 만들어 온 최대 규모의 텍스타일 업계가 1990년대 말에 도산하자, 대부분 인도에서 캉가를 제작하게 되었다. 그런데 몸바사의 대기업 매장에서 임직원들이 디자인 제작을 시도하였는데, 같은 인도 프린트라 하더라도 얇고 저가품과는 품질 면에서 월등하게 차이가 났다. 그들이 디자인한 캉가에는 항상 참신한 모티프가 활용되었고, 색감도 매우 선명했다. 그리고 귀여운 분위기로 완성되었다.

한편 탄자니아에서는 국내산 캉가가 큰 인기를 얻었다. 최근 몇 년 동안 탄자니아는 놀랄 만큼 경제성장을 했고, 새롭게 도약하기 위해 외국투자의 기업유치도 활발하다. 캉가 시장에서도 파키스탄과 인도계 자본의 신생기업이 늘어났고, 현재 캉가의 제조업체도 8곳에 이른다. 2000년 즈음에 텍스타일 업계에서 대대로 내려오는 유명기업 중에서 중국계 자본인 '우라피키(Urafiki=Tabxania-China Friendship textile Company)'가 질 좋은 캉가의 대명사였지만, 지금은 이름만 겨우 유지할 뿐이다.

디자인도 전에는 차분하고 소박한 분위기의 색감이 많았는데, 점점 모던한 색감으로 전개되었다. 단순한 한 장의 천이지만 스와힐리 사람들의 생활의 지혜와 사랑이 담겨진 캉가. 비록 시대가 변한다고 해도 언제까지나 그들을 화사하게 비춰주기를 바라는 마음 간절하다.

[3] 'Wewe ni mtu gani usiependa jirani 주변사람과 친하게 지내지 못하는 사람을 뭐라고 부르는가?'라는 문구가 새겨진 캉가.

[4] 캉가 전문상가 앞에서 물건을 파는 사람들.

프린세스는 바틱을 좋아한다? – 마다가스카르 천의 등급

스기모토 세이코(교토대학 인문학부 교수)

바다를 건너 천이 전해졌다. 외국산 천은 어떻게 수용되었고, 어떤 의미를 지니게 되었을까. 특히 외국산 천이 패션의 한 장르로 유행하고 나아가 민족의상 속에 안착했을 때, 그 천의 수요와 공급의 역사 속에서 각 사회의 정치가 투영된다. 패션은 정치인 것이다.

아프리카 대륙의 동쪽에 위치한 마다가스카르에는 수장제와 왕권이라는 전통문화와 강하게 결부된 산누에(野蠶)라는 천이 있다. 이 천은 산누에고치에서 뽑아낸 실로 짠 실크직물을 말한다. 마다가스카르에는 인도양 교역을 통해 인도를 중심으로 각지에서 다양한 천이 건너왔다. 이러한 마다가스카르의 염직문화 중에서 일찍부터 아라비아반도와 인도에서 후에 프랑스와 일본에서, 그리고 지금은 중국과 동남아시아에서 가져온 프린트 바틱은 어떤 의미를 지니고 있는가. 신문사에 보존되어 있던 프랑스식민지 통치시대의 사진을 실마리로 삼아 생각해 보자.

17세기 이후, 유럽국가가 노예와 맞바꾸면서 가져온 대량의 무기와 천 제품은 마다가스카르의 정치지도와 패션을 크게 변화시켰다. 19세기 초기에 마다가스카르의 중앙고지대를 통일한 메리나 왕국의 왕족은 산누에고치에서 실로 만든 실크 스커트와 어깨에 걸치는 천으로 구성된 정장과 전통적인 왕국의례를 버리고, 나폴레옹 풍의 슈트와 당시 유럽에서 유행하던 스타일인 긴 치마의 서양 의복, 또는 그것에 산누에고치에서 얻은 실로 짠 실크의 숄을 조합

시켜 정장으로 하고, 곧 기독교를 국교로 삼았다. 이에 비해 서해안 일대를 통치하던 사카라바 왕국의 왕족들은 외래의 천을 도입하면서도, 전통적인 의복스타일과 왕의 조상에 대한 의례를 지켜나갔다. 마다가스카르에서 일찍부터 산누에에서 얻은 실크직물은 왕후귀족과 장로에게만 허락된 특권층의 의상이었다 [1]. 마다가스카르의 염직세계에서는 실크와 라피아야시의 섬유라는 천 소재의 대비, 줄무늬와 무늬가 없는 천이라는 디자인의 대비가 그대로 왕후귀족과 서민이라는 신분이 다른 사람들의 복식의 대비를 표현한 것이다. 프랑스 식민지 통치시대에 기계로 짠 천을 합성염료로 염색한 프린트 바틱이 대량으로 보급되던 시기에 서민의 옷감은 라피아의 무늬 없는 천에서 목면의 프린트 바틱으로 바뀌었다. 그러나 지금도 중앙고지대 남부의 산누에고치에서 얻은 천(野蠶布)의 생산지역에서는 사카라바 왕의 의례의상을 위한 특별한 천을 짜고 있다.

프랑스 식민지 통치시대의 사진에 있는 서양풍의 장미꽃 무늬가 표현된 무명천의 프린트 바틱을 몸에 휘감은 당당한 여성은 마다가스카르 서남부의 사카라바 왕국의 여왕이다 [2]. 가슴까지 덮은 하의의 살로바나(Salovana)와, 머리에서 양쪽 어깨를 덮는 재킷인 키살리(Kisaly)라는 바느질하지 않은 두 장의 천을 전통적인 스타일로 휘감아 천을 균형 있게 맞추고 있다. 이것은 여왕이 프랑스 식민통치시대의 정치적 의식에 참가했을 때와 어울리는 의상이

[1] 마다가스카르 중앙 고지대, 메리나의 장로. 1950-60년대.

[2] 마다가스카르 남서부 사카라바 왕국의 여왕. 1950-60년대.

[3] 마다가스카르 북서부 사카라바 왕국의 여왕. 1950-60년대.

[4] 사카라바의 두 왕비.　　　　　　　　　[5] 자동차 무늬의 프린트 바틱을 착용한 여성.　　　　　　　[6] 왕국 의례에 등장하는 무용수.

지만, 왕의 묘에서 거행된 전통적인 왕국의례의 정장은 아니다. 왕의 무덤에 대한 의식에는 재단을 한 의복과 구두, 시계와 같은 외래의 물건은 금지되었다. 사카라바 왕국의 의례에 필요한 의장을 살펴보자. 마다가스카르 북서부의 사카라바 왕국의 왕녀는 중국실크의 살바나와 키살리를 입고 있는데 반해, 주위의 여관들은 사카라바 왕국과 역사적으로 연계성이 높은 동아프리카 연안부 일대에서 사람들이 캉가라고 부르는 프린트 바틱을 입고 있다 [3]. 대신들은 이슬람 풍의 상의와 모자 혹은 터번, 그리고 줄무늬가 들어간 면포로 만든 하의를 착용하고 있다. 조금 더 남쪽으로 내려간 곳에 있는 사카라바 왕국의 왕의 의례 사진에는 두 명의 왕비가 나란히 서 있다. 한 사람은 빨간색으로 보이는 산누에서 뽑은 실크 천을, 다른 한명은 시폰(chiffon)처럼 보이는 얇은 천에 물방울무늬를 표현한 천을 몸에 감고 있다 [4]. 이것은 말 그대로 '전통'적인 의상과, '근대' 즉 프랑스문화를 상징하는 최신 모드와 대립하는 도식이다. 여기서도 주위의 여관들이 착용한 것은 프린트 바틱 내지 무늬가 없는 면포이다. 프린트 바틱의 무늬에는 종종 전통적인 식물 모티프, 자동차와 같은 신기한 디자인이 조합되어 있다 [5]. 의례 속에서 왕의 선조가 빙의해서 춤추는 왕족은 흰 천 또는 붉은 색 천에 줄이 들어간 키쿠이(Kikoy)라 불리는 스커트를 착용했다. 키쿠이는 왕족만 입을 수 있는 인도제의 목면직물이다. 사진에는 키

쿠이가 아닌 비파니(Bipany)라 불리는 스커트를 입은 무희가 나타나 있는데, 의례에서 중요한 것은 왕족의 두 계통을 상징하는 붉은 색과 흰색의 줄무늬와, 붉은 색과 줄무늬가 있는 모자이다. 프린트 바틱의 하의용 천을 어쩐 일인지 뒤집어서 입고 있는데, 의외로 프린트된 문자 자체의 의미를 고려하지 않고 착용한 것으로 보인다. [6]. 사카라바 촌장은 하의용 천과 숄을 갖춘 정장용 차림이다 [7]. 프랑스 제품처럼 보이는 프린트 바틱의 하의용 천은 상당히 응축된 무늬지만, 여기서도 중요한 점은 사회적 지위를 나타내는 줄무늬 천의 상의를 착용함으로써 드러나는 촌장의 특권이라 하겠다.

마다가스카르는 뭄바이의 인도인 직물 상인이 동아프리카 시장에 들여온 것으로, 대개의 프린트 바틱은 그 루트로 인도에서 수입된 것이다. 마중가의 마을에 있는 포목점에는 매년 정해진 시기에 인도 상인이 몰려온다. 인도 상인은 1개월 정도 걸쳐 잔지바르 섬 케냐 연안, 탄자니아와 마다가스카르의 각 지역을 돌면서, 각 토지의 포목 상인이 주문을 받아 현지패션의 동향, 현지어의 사투리, 선거와 축제 등 계절에 따른 행사에 관한 정보를 수집하고 본국에 돌아가 공장에 발주를 한다. 라지시 형제의 상점(Rajisi Bros.)에서는 마다가스카르를 대상으로 한 제품의 상표에 마다가스카르 소녀를 그린 디자인을, 루가니 형제의 상점(Rughani Brothers)에서는 마다가스카르 섬 지도를 디자

인으로 사용한다. 인도산 프린트 바틱의 특징은 풀을 먹인 가공에 따른 천의 표면광택이다. 최근 마다가스카르의 포목점에는 인도뿐만 아니라 중국과 인도네시아의 프린트 바틱이 꽤 많이 쌓여있다. 탄자니아와 모잠비크에서 근년에 생산하기 시작한 프린트 바틱도 있다. 방콕에서 마다가스카르로 직행편이 개통된 이래, 태국의 프린트 바틱도 많이 증가했다. 프랑스 식민지 시대 때의 마다가스카르에는 코트나, 소테마라는 두 개의 국영회사가 프린트 바틱을 생산하고 있는데, 경영부진으로 소테마는 없어지고, 지금은 외국자본을 도입한 코트나만 남아 있다. 코트나의 프린트 바틱에는 지방의 특산품과 관광명소, 마다가스카르의 지도 등, 내셔널리즘과 로컬리즘, 또는 투어리즘을 배경으로 한 디자인을 다수 볼 수 있다.

그런데 동아프리카에서는 같은 무늬를 연속해서 프린트한 천이 캉가 천의 두 배 정도되는 길이로 잘라서 판매되며, 대부분 구입한 다음에 두 장으로 잘라서 사용해 왔다. 그러나 마다가스카르에서는 프린트된 두 장 정도의 천을 자르지 않고 길게 마치 키살리처럼 어깨에 걸친다. 그럼 키살리를 입은 젊은 여성들의 사진을 살펴보자 [8]. 인도네시아의 자바 바틱의 흐름을 긋는다는 동아프리카의 캉가용 프린트 디자인의 구도는 이곳에서는 완전히 무시된다. 아

니 그보다는 프린트 단계에서 상상되던 용도를 무시하고, 그것을 자신들이 좋아하는 곳에서 재단함으로 사카라바의 의상디자인에 어울리는 구도로 변환해서 사용한 것이다. 또 정장을 한 중앙 고지대의 메리나의 소년이 어깨에 걸친 스톨의 안쪽에 프린트 바틱을 사용했음을 시사하는 사진이 있다 [9]. 이러한 프린트 바틱의 사용법은 어디서 본 것 같다. 일본의 전국시대 무장이 진바오리(陣羽織, 갑옷 위에 덧입은 소매없는 상의—역자주)의 안감으로 한 바틱 말이다. 마다가스카르로 건너간 프린트 바틱은 일본도 마찬가지로, 의례적인 의장용 천과 대비되던 평소 쓰임새가 가장 좋았던 '멋스러운' 천으로 자리매김한 것이다.

왕녀가 아무리 바틱을 좋아한다고 해도 마다가스카르의 전통적인 염직문화에 내재하는 천이 갖는 확고한 하이어라키(피라미드형 신분 제도, 등급)에 따라 지금도 공식적인 의례에 프린트 바틱을 입을 수는 없다. 하지만 평소에 바틱으로 멋을 내는 것은 별개다. 그렇기 때문에 사람들은 프린트 바틱을 사랑하고, 그 색과 무늬의 아름다움과 즐거움을 자유롭게 만끽해 온 것이다. 이런 이유로 필자가 옛날부터 알던 사카라바 왕국의 왕녀의 집을 방문하면, 그녀는 서민들이 입는 똑같은 티셔츠에 자신이 좋아하는 프린트 바틱의 스커트 차림으로 반갑게 맞아준다.

[7] 정장을 한 마을 촌장.

[8] 사카라바의 젊은 여성들. 1950~60년대.

[9] 중앙 고지대, 메리나의 정장을 한 남자어린이. 1950~60년대.

세계를 휘감다 – 동남부 아프리카 잔비아의 프린트 바틱 '치텐게'와 헌옷 '사라우라

요시다 켄지(국립민족학박물관 교수)

화려하고 대담한 무늬를 여기저기 뿌린 것 같은 프린트 바틱은 동남부 아프리카의 도시에 있는 아프리카인 거주지와 지방의 마을에서 생활하던 여성에게는 말 그대로 필수품이다. 일하는 여성들은 대개 재킷, 블라우스와 스커트로 구성된 타이트한 정장차림을 즐겨 입는다. 한편, 그들이 귀가하면서 들르는 시장과 길거리에서 물건을 파는 여성, 또는 사무실에서 청소를 하는 여성은 낡은 티셔츠와 스커트, 원피스 위에 반드시 프린트 바틱을 허리에 감고 있다. 이런 모습은 마을에 사는 여성과 큰 차이가 없다. 도시와 지방, '전통'과 '현대'가 연속해서 이어지는 아프리카의 '지금'의 한 모습이다.

동아프리카의 케냐와 탄자니아, 그리고 동아프리카에서

키텐게라 불리는 프린트 바틱은 잔비아에서는 치텐게라고도 한다. 치텐게는 스커트 위에 다시 그 스커트를 덮듯이 휘감아 착용하는 것이 가장 일반적인 방식이다 [1]. 치텐게는 양복에 비해 훨씬 저렴하고, 또 오래 입을 수 있도록 보호하는 역할도 하며, 화려한 색과 다양한 무늬는 여성들의 요구를 충족시킬 수 있는 중요한 아이템이기도 하다. 더구나 똑같은 천을 아기를 등에 업는 포대기 [2]로 사용하거나, 물건을 싸는 보자기로, 커튼으로, 테이블 천으로도 사용한다. 또 오래 사용한 천은 물기를 짤 때 사용하기도 한다. 이처럼 활용도가 높은 천을 구하기가 어려운 지방에서는 치텐게는 만능 천으로 통한다. 선거철이면 대통령과 정당대표의 얼굴을 크게 프린트한 천이 대량으로 배포된다. 로마 카톨릭의 전 법왕, 요한 바오로 2세가 말라위를 방문했을 때, 법왕의 얼굴을 나타낸 천이 신자들 사이에서 유행했다 [3]. 여성들은 이 천을 허리에 두르고 바닥에 앉기도 하는데, 이때 대통령이나 법왕의 얼굴을 깔고 앉게 된다는 점을 의식하는 사람은 거의 없다. 아무튼 지방에서 생활하는 여성들이 감고 있는 치텐게가 화려하고 사람들의 눈을 끄는, 정보를 가장 빨리 전달할 수 있는 수단이라는 점은 분명하다.

이러한 프린트 바틱은 19세기 중반 이후에 동아프리카

[1] 여성들은 스커트와 원피스 위에 치텐게를 감아서 묶는다.

[2] 치텐게는 어린 아이들을 업거나 안을 때 포대기용으로 사용된다.

의 해안부에서 퍼져 나갔다고 본다. 초기에는 자바의 바틱이 유럽국가가 주도하는 인도양 교역을 통해 해안부로 전해졌지만, 나중에는 유럽, 인도, 나아가 일본의 프린트 제품이 수입되었다. 잠비아에서는 북부와 남부의 일부지역에서만 전통 기법을 사용해서 면포를 생산하였는데, 20세기 전반까지 지방 사람들은 나무껍질과 짐승가죽으로 몸을 가리곤 했다. 옷을 입지 않고 생활하는 것은 그들에게는 별문제가 되지 않았지만, 식민지정부나 기독교의 선교사에게는 '나체'로 인식되었고, '미개'한 의미로 받아들여졌다. 이들이 의복을 입는 것이야말로 '문명화'의 첫걸음이라 생각했던지 정부의 행정지도와 학교, 교회 활동을 통해 의복의 보급이 빠른 속도로 확산되었다. 여성들 사이에서의 치텐게의 보급은 이러한 움직임과 겹쳐지면서 진행된 것이다.

처음에는 직접 어깨에 걸치거나, 가슴과 허리에 감는 형식으로 착용하다가, 원피스와 블라우스, 스커트라는 정장 스타일이 정착하자, 여성들은 스커트 위에 이 천을 감는 방식을 택했다. 1964년에 잠비아가 독립한 후에는 산업과 문화의 '잠비아화' 방침에 따라 공장도 정비되어 국내에서 프린트 천을 생산하게 되었다. 또 치텐게의 천을 이용하여 상의와 스커트를 만든 '치텐게 드레스'도 개발되었다. 이것이야말로 양장과는 구별되는 '전통'을 살린 의복이라고 할 만하다. 하지만 그 후의 경제적 침체 속에서 의상제작에 필요한 천의 확보가 필수적이었던 '치텐게 드레스'는 일상복 보다는 축제나 파티 의상이라는 인상이 짙어졌다 [4].

[3] 당시의 법왕 요한 바오로 2세가 방문했을 때, 법왕의 얼굴을 프린트한 치텐게.

[4] 어린아이를 안고 있는 딸 옆에서 치텐게 드레스를 착용한 어머니.

한편, 치텐게는 양장차림에 조합을 한 '전통적' 의복으로서 여성들의 일상생활 속으로 파고들었다.

1990년대 이후가 되자 양장을 구매하는 데에 큰 변화가 일어났다. 오래되고 낡은 헌옷이 대량으로 시장에 쏟아져 나온 것이다. 아프리카에서 헌옷의 유통은 역사가 길다. 19세기 전반까지 계속된 노예무역에 대해 이미 유럽의 헌옷이 노예와 교환하는 수단이었다는 것은 잘 알려진 사실이다. 19세기말 유럽에서 저렴한 기성복이 시장에 나오자, 그때까지 유럽인들 사이에서 유통되던 헌옷은 수출용, 특히 아프리카 수출용으로 정리되었다. 그러나 잠비아에서 헌옷이 도시와 지방의 시장에 대량으로 나오게 된 것은 1990년대 이후의 일이었다.

1990년에 복수정당제 도입으로 성립한 MMD(Movement for Multi Party Democracy) 정권의 경제자유화 정책에 따른 헌옷수입제한의 철폐가 그 직접적인 원인이었다. 한편, 미국과 유럽에서 인도주의적인 원조와 자원 리사이클에의 관심이 높아졌다는 요인도 빠트릴 수 없다. 사람들은 미국과 영국의 원조단체로 사용하지 않는 대량의 의류를 기부하였다. 가난한 사람에게 직접 전해주는 헌옷은 사실은 일부분에 불과했다. 원조단체에서는 헌옷 중에서 쓸 만한 것을 국내 리사이클로 돌려 판매함과 동시에 남은 분량을 수출업자에게 넘겨주었고, 그 수익을 자신들의 활동자금으로 사용한 것이다. 아프리카로 가장 많은 헌옷을 수출한 나라는 미국이었고, 캐나다와 영국이 그 뒤를 이었다. 일본도 이러한 헌옷 수출국에 속한다.

세계 각국에서 헌옷수출의 급격한 증대는 잠비아의 사람들에게 지금까지 선택권도, 구매의 기회도 한정되어 있던 신상품인 의류에 대해 저렴하고, 더구나 옷을 고를 수 있는 선택의 폭도 넓어진 풍부한 의류의 세계가 열린 것을 의미했다. 사람들은 다종다양한 의류를 통해 자신이 좋아하는 것을 맞춰서 선택하였고 세련되고 멋진 옷을 즐기는 기회를 맞게 된 것이다. 도시와 지방을 불문하고, 현재, 시장에는 '사라우라'라는 현지말로 부르는 헌옷이 넘쳐난다 [5]. 원래 그 시장에는 여성들에게 소비처라고도 할 수 있는 신상품의 프린트 천 '치텐게'를 판매하는 상점도 즐비하다. 이 치텐게가 유럽국가와 인도, 그리고 일시적이긴 하지만 일본에서도 수입되고 있다는 점은 앞에서 언급했다. 잠비아의 여성들은 지금 마치 세계를 입은 것 같은 생활을 즐기고 있다.

[5] 헌옷 '사라우라'를 판매하는 어느 지방시장.

잉카 쇼니바레 – 전수자로서의 아프리카 프린트

카와구치 유키야(국립민족학박물관 조교수)

잉카 쇼니바레(Yinka Shonibare)라는 나이지리아 출신의 아티스트가 있다. 그는 1962년에 런던에서 태어나 3살 때 부모와 함께 나이지리아의 라고스로 돌아와 자랐고, 20살 무렵에 다시 미술을 공부하기 위해 런던으로 왔다는 조금 이색적인 경력을 지녔다. 미술대학을 졸업하고 나서는 계속 런던을 중심으로 활동하였다.

쇼니발레라고 하면 사진 작품도 있지만, 역시 아프리카 프린트를 사용한 설치예술 작품을 손꼽을 수 있다. 설치예술이란 공간에 어떤 오브제를 설치하고 공간 그 자체를 작품으로 바꿔버리는, 현대미술 분야에서 근년

[6] 잉카 쇼니바레 작 '빅토리아 왕조, 박애주의자의 응접실' (ⓒ모리미술관)

에 유행하는 수법의 하나이다. 쇼니바레의 설치예술은 다양하지만, 특히 18세기 후반의 산업혁명부터 19세기 후반의 빅토리아 시대에 걸친 대영제국이 번영한 시대의 유복한 영국인의 사생활의 한 부분을 빈정거리는 시선으로 표현한 일련의 작품이 그의 트레이드마크라 할 수 있다. 여기서는 침대와 소파, 테이블 등의 가구 색감이 당시의 양식과 어우러져 충실히 재현되었고, 등장하는 남녀 마네킹도 정장슈트에 롱드레스 등 누가 보더라도 대영제국의 상류계급을 연상시킨다. 그런데 가구도 양복도 모두 아프리카 프린트로 덮었고, 마네킹마저 목 윗부분이 없다.

예를 들면, 2002년 독일의 캇셀에서 열린 '도큐멘터 XI'전에 전시된 '정사와 부도덕한 대회'라는 작품은 18세기 영국의 상류계급의 자제들에게는 일종의 취미생활이었던 그랜드 투어를 주제로 삼았다.[1] 당시 가정교사를 데리고 프랑스와 이탈리아를 여행하면서 매너와 교양을 쌓는다는 것은 귀족의 자녀가 한 사람의 성인으로 되기 위해서 반드시 거쳐야 하는 통과의례와 같았다. 특히 이탈리아에 산재하는 로마와 르네상스 시대의 유적은 인기 있는 코스였다.

그런데 이 작품에는 마차 한 대가 천장에서 묶여 내려와 있고, 그 아래의 마루에는 여행용 가방이 마치 섬처럼 점점이 배치되어 있고, 각각 여행차림의 남녀 마네킹을 포개듯이 배치했다. 이들은 아마도 귀족의 자녀와 가정교사, 그리고 집사로 생각되는데, 작품에선 보기에도 민망한 자세로 성행위를 하고 있다. 물론 마네킹이 착용하고 있는 옷은 아프리카 프린트로 제작한 것이다. 그리고 작품에 따라 마네킹은 얼굴이 없는 것도 있다.

다른 예를 들어보자. 2004년부터 2007년에 걸쳐 유럽, 일본 그리고 남아프리카공화국을 순회 중이던 '아프리카 리믹스'전 (일본에서는 2006년 5월~8월에 도쿄, 모리미술관에서 개최되었는데 큰 호평을 얻었음)에 출품된 '빅토리아 시대의 박애주의자의 담화실'이라는 작품이다.[2] 이 작품에는 인간은 등장하지 않고, 19세기말, 빅토리아시대의 상류계급의 응접실이 재현되어 있다. 쇼니바레는 왜 끊임없이 아프리카의 프린트 바틱을 사용하려 한 것일까.

오늘날, 세네갈의 말리에서 코트죠보아르, 가나, 나이지리아 근처까지 서아프리카의 주요한 국가들을 찾아가 보면, 작은 도시의 시장에는 어김없이 프린트 바틱 상점이 있고, 여러 가지 화려한 색감의 물품으로 가득 차 있다. 대부분 기계로 짠 무명천에 롤러프린트로 날염을 한 뒤에 화려하게 염색한 대량생산용 날염 바틱으로 흔히 왁스프린트로 불리는 면포이다.

프린트 바틱의 무늬는 추상적인 무늬부터 비행기와 헬기, 자전거, 선풍기, 면도칼 등 일상용품에서 자주 보이는 물건을 그린 구상적인 것까지 매우 다양하다. 이들 바틱은 가격이 저렴하고 대량으로 유통되어 남녀 모두 평상복부터 정장에 이르는 의류, 그리고 테이블보, 커튼까지 다양한 용도로 사용된다.

일찍이 거리에 넘치던 이들 프린트 바틱은 화려한 색채와 역동적인 구도 때문에 유럽 관광객들에게는 트로피칼(연대)하고 아프리카 풍으로 느껴질 것이다. 사실 그들 중에는 아프리카 토산품이라고 해서 사가는 사람도 있다.

그러나 이 프린트 바틱의 역사를 조금이라도 알게 되면, 사실은 아프리카의 특산품은 아니다. 원래 인도네시아의 자바에서 손으로 짠 무명천과 실크를 밀랍으로 날염한 말하자면 자바 바틱이라 불리는 천인 것이다. 이 자바 바틱이 어떤 경로를 거쳐 아프리카로 전해져서 결국

---

1) Gallantry and Criminal Conversation, 2002, installation for Documenta XI.
2) 잉카 쇼니바레 작. MBE(명예대영훈장). 〈빅토리아왕조, 박애주의자의 담화실〉 1996~97. Eileen Harris-Peter Norton 소장. 산타모니카.

아프리카의 토산품으로 오해받게 된 걸까?

문헌에는 자바에서 어떤 염직물이 만들어지고 있었다는 기록으로 보아 3세기경으로 올라갈 수 있지만, 밀랍염색을 통한 자바 바틱의 존재가 확인된 것은 17세기가 가장 오래된 것이다.[3] 자바인과 화교, 그리고 아랍인을 중심으로 전개한 자바 바틱의 제작방법은 19세기 중반부터 다양해진다. 인도사람과 유럽사람이 경영하는 공방이 나타나기 사작한 것이다.[4] 이러한 흐름과 앞뒤 상황으로 보아 자바 바틱의 천은 19세기 전반을 경계로 손으로 방직하고 짠 면포에서 점차 기계로 짠 면포로 교체되었다고 볼 수 있다. 한편, 유럽에서는 19세기에 영국에서 자바 바틱을 본 뜬 프린트 사라사가 제작되었고 이들은 자바로 전해졌다. 그리고 19세기 중반부터 유럽국가에서 자바 바틱을 모방한 프린트 바틱을 생산하였고, 이들은 19세기 후반이후에 아프리카로 수출되었다. 한 가지 더 언급하자면, 아프리카에서 대량으로 유통된 것은 20세기 초기의 일이다.

이처럼 19세기 후반부터 20세기 전반에 걸쳐 유럽의 선진공업국에서 기계를 사용하여 대량생산된 유럽산 '자바 바틱'이 동남아시아에서 남아시아에 이르는 아시아 각 지역과 동아프리카, 서아프리카로 수출되었다. 여기서 볼 수 있는 점은 아시아, 아프리카의 식민지가, 근대 유럽에서 대량으로 생산되는 공업생산물의 창구역할을 하게 되었다는 구도이다. 다시 말하면, 자바 바틱의 유통에는 19세기부터 20세기 전반에 걸친 식민지 지배를 바탕으로 글로벌한 자본주의의 정치와 구조가 그대로 응축되어 있다.

쇼니바레는 아티스트로서 데뷔한 직후에 영국의 미술계로부터 몰래 '아프리카다운 것'을 종종 표현하라는 말을 듣고 당혹했다고 한다.[5] 비서양권의, 지금의 아트 월드의 현실 속에서는 소수집단에 속하는 문명권에서 출몰한 아티스트에게는 매우 희귀한 체험이었지만, 영국과 나이지리아라는 두 개의 다른 문화 사이에서 자신의 출신을 밝혀온 쇼니바레에게는 그러한 고정관념을 바탕으로 이문화(異文化)를 바라보는 사람들의 불합리한 처사는 폭력으로 비춰졌을 것이다. 쇼니바레는 그러한 권력관계에 뿌리를 둔 부조리함을 반대로 취급한 것이다.

그는 교양과 기품을 갖추고 예절을 중시하는 대영제국의 신사와 숙녀를 작품의 주제로 즐겨 사용했지만, 정작 작품에서는 정반대의 속성을 다룬 것이다. 더구나 신사와 숙녀들의 복장과 지참물은 모두 원래 자바의 특산품임에도 불구하고, 지금은 아프리카 제품의 대명사가 된 아프리카 프린트로 덮어버린 것이다.

이러한 스토리를 통해 쇼니바레가 무엇을 겨냥하고 있었던지는 분명하다. 아프리카 사람은 야만적이고 낮은 하층계층이며 성생활이 복잡하다는 편견은 지금도 유럽에서 가끔 느낄 수 있다.[6] 표면적으로는 어떤 미사여구를 늘어놓더라도 실제는 그렇게 생각하고 있는 유럽인들도 존재한다. 그런 일부 유럽인들의 아프리카에 대한 편견을 쇼니바레는 작품 속에서 훌륭하게 반전시켰고, 유럽과 아프리카의 권력관계의 장점과 단점 역시 한순간에 뒤바꾼 것이다.

3) 요시모토 1993, p.131 참고.
4) 요시모토 1993, pp.143-149 참고. 요시모토 교수는 이글에서 1931년의 통계에서 자바 섬에는 인도네시아인이 경영하는 공방이 1804개, 화교 418개, 유럽인 12개, 아랍인 113개라고 기술했다.
5) ベルナール・ミュレ, 2006, 「ジャンルが工作するパフォーマンス―演劇から儀式へ、あるいは混沌の美学」/飛鳥隆信 訳, 2006, 『アフリカ・リミックス』展図録. 森美術館. p.188을 참조.
6) 여기에 관해서는 런던에서 18세기말부터 19세기 초에 걸쳐 '호텐토트의 비너스(Hottentot Venus)'로 이름이 알려진 코이코이인, 사르키 바트만의 골격과 생식기, 그리고 뇌를 표본 처리하여, 지금부터 불과 30년 전인 1975년까지 파리의 인류박물관에 전시되었다는 예를 들면 충분할 것이다. 또 이 종에 대한 편견이 비단 유럽에 한정되는 상황은 아닐 것이다.

또 편견이라는 것이 언제나 그렇지만, 유럽인의 아프리카인에 대한 편견에는 아무런 근거가 없는 것이다. 그뿐만이 아니다. 대영제국의 풍족함을 지탱한 것은 누구였는가? 그것은 식민지에서 유럽인에게 부당하게 억압받던 아시아인이었으며, 아프리카인이었다. 이처럼 식민지의 시선으로 유럽을 바라보면, 아프리카 프린트는 강력한 수단이 된다. 이는 근거 없는 편견, 예를 들면 자바에 그 기원을 갖는 아프리카 프린트가 마치 아프리카의 특산물처럼 여겨지기 때문이다. 한편 가격이 저렴하다는 것을 무기로 유럽, 아프리카까지 대량유통된 자바 바틱은 식민지 지배라는 정치경제의 역학관계를 적절하게 반영하고 있다. 따라서 자신의 경험을 바탕으로 근대사를 재조명하려는 쇼니바레에게는 아프리카 프린트는 자신의 말을 대변해 주는 더할 나위없는 도구인 셈이다.

유럽에서 교육을 받고, 유럽의 한 시민으로 살아왔지만, 아프리카 출신이라는 점 때문에 무언의 폭력적인 시선을 받아온 쇼니바레의 개인적인 체험이 아프리카 프린트를 사용한 그의 설치작품에 깊숙이 내재되어 있다.

2004년 쇼니바레는 세계적으로 권위있는 현대미술분야의 최고의 상인 터너상을 수상했다. 같은 해 가을에 새롭게 오픈한 뉴욕의 근대미술관 상설전시에서도 그의 작품이 전시되었다.[7] 아프리카 프린트로 휘감긴 그의 작품이 세계로 퍼져가는 모습은 마치 인도네시아에서 시작된 자바 바틱의 위대한 여정을 연상시킨다. 잉카 쇼니바레는 오늘날 글로벌한 아트세계에서 주목받는 아티스트의 한 사람이다.

---

7) How does a Girl Like You get to be a Girl like You? 1995. Museum of Modern Art, New York.

서아프리카의 프린트 천의 속사정

이제키 카즈요(오사카예술대학 예술학부 교수)

대통령의 얼굴을 깔고 앉은 여성

2004년 12월 필자는 프랑스, 독일, 스위스의 국경과 가까운 뮤르즈에 있었다. 이 마을을 흐르는 엄청난 양의 물과 운하를 오가는 배편이 섬유산업을 발전시켰고, 1746년 마침내 프랑스의 대표적인 공업도시가 되었다. 마을에는 이러한 역사를 자랑하는 염색박물관이 있고, 유럽에서 목판과 엔틱에 의한 프린트 산업의 역사, 생산공정, 다수의 제품이 전시되어 있었다. 박물관 2층의 기획전시전에는 20세기에 유럽각지에서 아프리카 수출용으로 제작된 프린트 천과 아프리카 각지에서 제작된 프린트 천이 전시되고 있었다.

아프리카 프린트와 필자의 만남은 1980년, 아프리카염직조사 대상국 중에서 첫 방문지였던 기니 만(灣)에 면한 토고공화국이었다. 그리고 수도 로메와 조사지에서 만난 기억이 있는 가나와 베냉, 네덜란드제의 프린트 천을 보다가 로메에서 필자를 놀라게 했던 두 가지 일이 기억났다.

하나는 시장에서 물건을 팔던 중년여성의 천을 다루는 방법이었다. 원단을 터번처럼 머리에 장식하고, 가슴가리개, 허리에 감는 천, 솔 등 약 8m나 되는 천을 몸에 감은 셈이다(이 스타일은 기독교 보급과 함께, 기니 만 근처의 여성들 사이에 정착되어, 지금은 가장 일반적인 착용법이다).

다른 하나는 그런 프린트 천의 강렬한 배색과 디자인이다. 일본 사람들의 감성에는 어울리지 않는 파란색, 빨간색, 노란색, 갈색, 녹색 등 여러 가지 색을 배치한 것에는 거부감조차 느껴졌다. 그 중에는 천에 가득 찰 정도로 크게 물방울을 배치한 것과, 어느 디자인의 일부를 확대시킨 무성의한 무늬, 그리고 에야데마 대통령의 얼굴을 프린트한 천이 있다. 이것을 허리에 감은 여성의 엉덩이 부분에 물방울무늬와 대통령의 얼굴이 오게 된다. 즉, 국가원수의 얼굴을 깔고 앉는 모습이 벌어지게 된다. 1940년대의 일본이라면 괘씸죄에 해당되는 사항인 셈이다.

그 후 30년의 세월이 지난 아프리카에서 '서아프리카 전통적 문양의 천'인 말리의 전통염색 천 보고란피니(철분이 많이 함유된 진흙을 천에 그려서 말린 후 세탁하는 일종의 진흙염색기법을 사용한 천. 진흙이 묻은 곳은 어둡게 나타나고, 묻지 않은 곳은 흰 색깔로 나타남. 주로 말리 서남부

[1]
독일보호령 시대에 이루어진 바젤 미션의 조사기록 중에서 비멘다 고원의 발리왕국의 왕(Fon Fonyonga)의 사진이 있다. 이것을 디자인한 프린트 천의 색조에도 자바 바틱의 색조 범주에 포함된다. 1940~50년의 독일 함부르크 Goeake사 제품

에 사는 바마나 족의 여성들이 만든 천을 말함–역자주)와
가나의 전통염색 천 아딘크라(adinkra, 압판염색), 나이
지리아의 전통염색 천 아데레오니코(카사바(cassava)라는
열대성 저목의 풀을 이용하여 염색한 천. 염색에 사용되는
풀을 용기 등에 담아 조금씩 짜내면서 천에 그린 밑그림에
맞춰 그리는 기법–역자주)를 조사했지만, 그동안 아프리
카 프린트의 제작기법과 배색, 제작기술에 커다란 변화가
있었음을 말할 것도 없다. 그리고 필자가 거부감조차 느
꼈던 배색이 특히 연안부에서 즐겨 사용되고 있는 점, 내
륙부와 연안부에서는 여성들이 좋아하는 디자인과 색채가
크게 다르다는 점 등 서서히 아프리카 프린트를 사용하는
상황을 파악하게 되었다. 그러나 원고의 내용이 한정되어
있어서 광대한 서아프리카 국가들의 프린트 천 상황을 전
부다 표현할 수 없었다. 그래서 필자가 장시간 관여해 온
카메룬 북서부의 프린트 천에 대해 소개하고자 한다.

옛스러움을 서로 경쟁하는 왕국 내의 의상

카메룬에서 유럽인이 통상활동을 개시한 것은 15세기부
터였다. 먼저 포르투갈인, 그 다음에 영국인이 진출하여
연안을 중심으로 노예무역과 그 외의 통상과 포교활동을
벌였다. 그 후 유럽강국의 아프리카 분할이 본격화함에 따
라 1884년에 독일의 보호령, 1911년에는 식민지령이 내려
졌다. 그 후 제1차 세계대전의 독일의 패배로 서카메룬이
영국령, 동카메룬이 프랑스령으로 분할되었다. 그리고 제2
차 대전 후인 1960년에 동카메룬의 독립, 1961년에는 서카
메룬이 남북으로 분리되었고, 북부가 나이지리아와 그 남
부, 그리고 동카메룬이 통합하여 지금의 공화국이 되었다.
이와 같은 카메룬의 역사는 프린트 천을 비롯한 무늬염색
천의 유입의 역사이기도 하다.

조사대상의 중심지인 북서부 바멘다 고원은 독립한 후인
현재에도 정부에서 행정권을 인정하는 수장국이 2백여 곳
이나 된다. 이들 수장국은 16세기부터 19세기에 걸쳐 현지
에서 이동해 온 티카르 사람들로 구성되어 있다. 예전부터

[2] 1948년 런던 올림픽을 주제로 한 프린트 천에도 자바 바틱의 색조가 보인다.

[3] 카메룬의 초대 대통령(아히조)과 제2대 대통령(비야)이 선거용으로 배포한
프린트 천 (사진은 제2대 대통령)

[4]
바멘다 고원의 수장국의
왕가에서 관리하는 염직물이
사진으로 제판되어 스크린 프린트 천으로
제작되기도 한다.
카메룬 King사 제품.

[5] 아데레오니코의 의장에는 자바 바틱의 대표적 문양을 도안으로 사용하기도 한다.

남녀모두 나체에 가까운 모습으로, 왕과 고위층만이 나이지리아에서 팜 오일과 노예를 구하러 온 교역인이 가져온 면포를 이용하여 하의로 착용했다. 그 중에서도 쪽빛으로 염색한 천은 왕가의 독점품이 되어 왕권을 상징하는 물품으로 매장용 천이나 의례용 의복, 그리고 일부는 공로자에게 하사되었다.

그리고 19세기말이 되자, 네덜란드와 독일, 영국 등의 공업제 프린트 천, 감색과 검은색의 무늬 없는 천도 교역품에 첨가되었다. 이들 천은 왕가의 독점품이었던 쪽빛바탕 천과는 구별되었고, 왕비와 고위층들의 의복으로 사용되기 시작했다. 그리고 이슬람교도의 의복(관의(寬衣))이 이곳으로 유입되자, 감색과 검은색의 무늬 없는 천을 바탕으로 프린트 천을 가슴과 소매 부분에 배치한 이 지방 독자의 의복을 완성시켰다. 당시의 의상은 남아 있지 않지만, 1920-1950년대에 제작된 의상을 조사하면서 고위층의 집 안에서 사용하던 의복이, 특히 자바 바틱을 모방한 20세기 초기부터 생산하게 된 네덜란드산 왁스프린트 천(네덜란드 천이라고 통칭하는)에 대해 지금도 특별한 의식을 지속시키고 있다는 느낌이 들었다. 이것을 증명이라도 하는

듯이 의류품을 보급한 현재에도 노귀족들은 왕국 밖에서는 새롭고 화려한 의상을 사용하지만, 왕궁 안에서는 옛날 의상, 즉 입수한 시기를 경쟁하듯이, 그곳에서는 하사받은 쪽빛의 홀치기 천이나 네덜란드산 천, 뮤르즈 천 등을 볼 수 있다.

그들은 쪽빛을 기본으로 붉은색, 차색을 중첩한 자바 바틱의 색조가 바탕이 되었고, 디자인이 자바 문양과 동떨어진 것이라 하더라도, 이 시기의 유럽산 아프리카 수출용 프린트 천의 주류가 된 배색으로 정착했다는 점을 알 수 있다. 예를 들면 1940년에 독일에서 제작된 바멘다 고원의 수장을 디자인한 것 [1]과, 1948년의 의 런던 올림픽 [2]을 테마로 한 것도 이 자바 바틱의 색조를 바탕으로 했다.

또 1980년 전후로 대통령이나 유명인, 고인의 얼굴을 프린트한 것이 서아프리카에서 유행한 시기가 있었다. 그 예로 바젤 미션의 기록사진(1910년대)에서 보이는 발리 왕국의 왕을 프린트한 것을 들 수 있다. 그리고 카메룬에서는 초대 대통령 아히조와 제2대 대통령 비아가 자신의 모습을 선거 캠페인용으로 자국에서 스크린 프린트한 천도 있다 [3]

[6]
일찍이 영국인이 가져온 차(茶) 상자의
방수용 아연판을 사용.
지금도 철판에 문양을 조각해서 뜯어내어
빈 공간으로 만들고, 그 속을
식물성분의 풀로 채우는 모습
(1984년 토고 아네호에서)

왕가의 천을 몸에 장식하다

바멘다 고원에는 예전부터 교역로가 발달했는데, 각 수장국에서 8일에 1번씩 '도시의 날'이 열렸다. 지금은 새로운 도로가 정비되어 바멘다를 거점으로 '도시의 날'을 전문적으로 순회하는 포목 상인들이 있다. 광장에 즐비하게 늘어선 포목점 한쪽에 주로 나이지리아 산의 무늬가 없는 천과 프린트 천을 쌓아둔 상점들이 늘어서 있다. 근년에는 카메룬과 중국산 프린트 천에 추가해서 의복과 헌옷가게가 진출하고 있다. 이들 상인들이 물건을 구매하는 곳 중의 하나가 바멘다에 있는 공설시장 내의 나이지리아 이보 상인들의 포목점으로, 여기서는 공장에서 만든 각국의 프린트 천과 무늬 없는 천이 팔려 나간다.

최근 바멘다 고원에서 인기가 있는 제품은 일찍이 왕족 전용의 쪽빛 홀치기염색 천(응도프라고 통칭)과 왕권 유지의 비밀결사대(장례의식과 청년교육 등을 목적으로 한 그룹)의 쪽빛홀치기염색 천(우카라라고 통칭)을 사진 제판한 프린트 천도 있다 [4]. 진품은 나이지리아 주쿤과 요르바가 제작한 전통염색 상품이지만, 경우에 따라서는 권위 있는 왕가의 천을 몸에 착용하고 있다고 자랑스럽게 생각하는 사람들도 있다.

이러한 서아프리카의 전통적 염직물을 프린트화한 천의 보급이 최근 눈에 띄게 늘어났다. 일찍이 포르투갈 상인을 통해 기니 만에 전해진 카사바 관목을 방염제로 사용하여 가는 실에 이 풀을 입힌 아데레오니코라는 의장이 있다. 쪽색 한가지로 스크린프린트처럼 된 천을 보면, 그 의장에 자바 바틱의 대표적 무늬인 체프록(ceplok), 탐발(tambal)과 유사하다는 느낌이 든다. 그리고 기니 만 연안의 무늬가 새겨진 천에 자바 바틱의 영향이 크게 나타나 있는 점도 주목된다 [5, 6, 7].

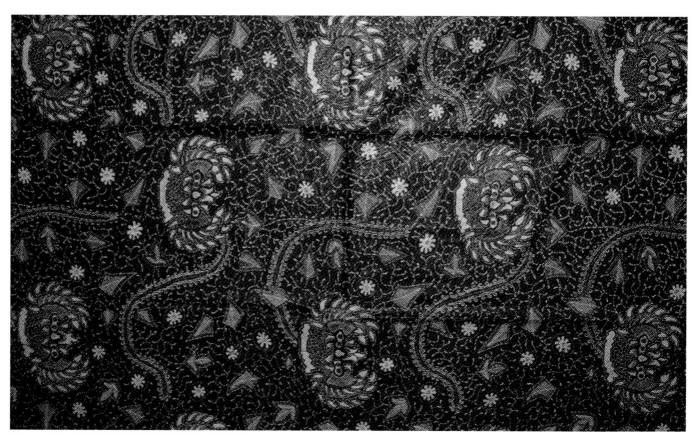

[7] 1990년대, 정부직영의 바멘다 상점에서 취급하던 자바 바틱을 모방한 프린트 바틱

아프리카 트린트와 상업 네트워크

미시마 테이코(국립민족학박물관 조교수)

서아프리카에서 사는 사람들은 선명한 색채와 대담한 무늬의 천으로 만든 의복을 매일 입고 다닌다. 바로 이 점이 '아프리카답다'는 인상을 주지만, 실제로 사람들도 거기서 '아프리카다움'을 발견하는 것 같다. 무슬림이 착용한 관의(寬衣)에도 그 '아프리카다움'이 내재되어 있고, 평상복에는 유럽 스타일에서 착상을 얻은 독특한 의장의 의복이 '아프리카적' 전통으로 창출되어 지금의 복식 스타일이 만들어졌다. 이와 같이 아프리카에서 유통하고 있는 프린트 바틱을, 유럽과 일본에서는 일반적으로 '아프리카 프린트'라 부른다.

아프리카 프린트는 실제는 유럽인에 의한 '아프리카다운' 디자인을 특징으로 하는 공업제의 면포를 의미한다. 자바 바틱의 날염 기술을 이용하여 19세기 중반부터 대 아프리카 수출품을 만들기 위해 유럽제국은 활발하게 생산 활동을 벌였다. 처음은 스카프와 손수건 등이었지만, 점차 아프리카 각지에서 생산되던 손으로 짠 면포로 교체되어 사람들의 생활 속에 젖어들었다. 그리고 아프리카 프린트의 창출에서 1세기 반을 거쳐, 지금 그 수요가 쇠퇴한 것은 아니지만, 생산의 거점은 유럽에서 아시아로 옮겨졌다. 이처럼 거대한 변천과정에는 세계경제와 아프리카경제의 관계성의 변화를 볼 수 있고, 아울러 그 변화 속에서 활약해 온 아프리카 상인의 존재감을 느낄 수 있다.

세계경제의 발전과정에서 보면, 아프리카 프린트는 유럽의 산업혁명의 기간산업이었던 섬유공업 속에 들어간다. 미국대륙으로 건너간 아프리카 노예들은 목화를 재배했고, 유럽제국은 그 가공품인 면직물을 아프리카와 아시아의 식민지에 판매했다. 노예무역이 금지되고 노예공급이 끊기자, 원료공급지는 미국대륙에서 아프리카와 아시아의 식민지로 옮겨졌고, 서아프리카에서는 목화 재배와, 섬유공업에 필요한 아라비아산 고무채집이 농업공동조합에서 조직적으로 이루어졌다. 이들 1차생산품을 가공한 제품이 아프리카 프린트라는 모습으로 아프리카에 재수입된 것이다.

아프리카 프린트의 생산은 20세기 중반까지 네덜란드, 영국, 스위스, 그리고 프랑스에서 성행하였다. 20세기 후반이 되자, 자본주의적인 산업구조의 발전을 거쳐 일본도 이 아프리카 프린트 시장으로 뛰어들었다. 그 역사의 한 장면을 동양방직의 이력에서 찾아볼 수 있다. 동양방직은 네덜란드의 휠싱건 회사를 위해 1956년부터 72년까지 아프리카를 대상으로 한 제품을 생산했다.

이와 같은 경제의 흐름은 지구상의 지역 간 분업체제라는 커다란 틀 속에서 촉진되었다. 일본의 섬유산업은 19세기말에는 기계화되었고, 1910년대 후반부터 50년대에 걸쳐서는 동남아시아 시장을 대상으로 프린트 바틱을 수출하였

[1] 뜰에서 식기를 치우는 풀베(Fulbe) 족의 모녀. 어머니가 착용한 것은 머리에 감는 스카프, 허리에 감는 천과 통 드레스의 세트 (ⓒ 1996.10)

[2] 잠시 휴식을 취하는 소닌케(Soninke) 부족의 여성들. 세네갈 여성들 사이에서는 어깨를 많이 드러내어 입을수록 세련되게 보인다고 한다.

고, 50년대 후반부터는 선진국 시장을 대상으로 한 개발정책을 펼쳤다. 그 시기에 일본의 섬유기업은 유럽국가의 하청품만 생산하는 것이 아니라, 독자적으로 아프리카 시장을 향한 왁스프린트, 즉 날염 프린트 바틱을 생산하고 있었다. 그러나 독자적인 시도는 그리 오래가지 못했다. 세계의 지역 간 분업체제는 이미 다른 단계로 진입했던 것이다. 60년대에 일본의 섬유산업은 동남아시아와 동아시아 각국의 적극적인 유치정책에 호응하여 해당지역으로의 수출에서 기업진출과 현지생산으로 교체되고 있었다. 해당지역에서는 수출대체가 급속히 진행되어 70년대에는 섬유제품의 수출이 본격화했다. 그리고 그 수출지로서 아프리카 시장이 부상한 것은 그로부터 얼마 되지 않은 시기였다.

아프리카 프린트에는 고급 왁스프린트와 일반대중을 겨냥한 팬시 프린트가 있었고, 아프리카의 현지공장에서도 각각의 생산기술이 이전되었다. 아프리카의 국가에 설치

되었던 대부분의 방적가공 공장은 독립 후에는 외면상 유럽자본에서 자국자본으로 옮겨졌다. 80년대 이후는 세계은행이 주도하는 구조조정 프로그램이라는 국가경제 재건 프로젝트로 다른 국영조직과 같이 민영화되었다. 그러나 민영화한 후의 경영 상태는 매우 심해져서 60년대부터 시작한 인도와 중국을 통한 아프리카 진출에 박차를 가하게 되었고, 90년대에는 아시아자본에 따른 공장의 매입이 줄을 이었다. 그 결과, 대중을 겨냥한 저렴한 현지상품마저 각광을 받았다. 그 곳에 뛰어든 것이 태국과 인도네시아, 그리고 중국에서 생산된 아프리카 프린트였다. 아시아의 아프리카 프린트는 품질도 유럽제품보다 뒤지지 않았고, 가격은 아프리카 제품보다 더 저렴했기 때문에, 오늘날의 대중을 대상으로 한 제품의 주력상품이 되었다.

한편, 여기서 등장하는 것이 아프리카 프린트의 유통에 깊게 관계하던 아프리카인 상인이었다. 아시아의 각 나라

들이 아프리카에서 가장 먼저 수주를 받은 것은 산업구조가 그 단계에 도달해 있던 점은 물론이거니와, 그것에 불을 지핀 것이 아프리카 각지에서 상품을 구매하러 온 아프리카인 상인들이 있었기 때문이다. 아프리카 상인은 70년대부터 홍콩을 중심으로 직접 일상 생활품을 구매하기 위해 아시아를 방문하곤 했다. 그 중심적인 존재가 소닌케(Soninke)의 상인이었다. 80년대부터 90년대에는 태국의 방콕에 1000명 정도의 소닌케 상인이 거주하고 있었다. 그 후에는 서서히 조여드는 태국의 이주정책과 중국경제의 발흥을 받아 대부분의 아프리카 상인은 중국본토인 광주로 이동했다. 그에 따라 아프리카 프린트의 발주처도 중국 공장으로 이전했다. 중국에서는 광주와 그 배후지를 중심으로 20세기 전반의 유럽의 세력을 꺾은 아프리카 프린트가 생산되었다.

소닌케 상인을 비롯한 아프리카 상인이 아프리카 프린트에 집중한 것은 단순한 우연이 아니다. 서아프리카에서는 고대왕국시대에 소닌케 상인이 사하라 사막을 넘어 아랍세계와 교역을 시도했는데, 그 시대부터 면포는 가장 가치가 있는 교역품의 하나였으며, 지불수단으로 인정받은 귀중품이었다. 상인에게는 어느 시대라도 면포의 공급을 장악하는 것이 교역의 승패를 좌우한다고 할 정도였다. 또 소닌케 상인은 유럽의 국가를 통해 이루어진 아프리카 진출 이후에는 아랍인과의 교역을 대신해서 유럽 상인을 상대로 판매를 이어왔다. 아프리카 노예를 유럽 상인에게 공급하고 유럽제품을 아프리카 시장에 유통한 것은 소닌케 상인이었다.

오늘날 아시아에서 수출되는 아프리카 프린트는 아프리카 각국의 시장을 압도하고 있다. 그 상표에는 런던, 네덜란드라고 기입된 유럽산 왁스프린트의 모조품도 있다. 네덜란드의 'Holland'를 흉내내어 '메이드 인 홀랜드'로 쓴 제품도 있는가 하면, 유럽산 제품의 고급스러움을 나타내려 했다. 품질은 떨어지지만, 저렴한 가격대의 제품은 생활이 어려운 아프리카 서민에게는 고마운 일이었다. 그러나 고품질의 아

프리카 프린트도 동시기에 생산되었고, 중국의 공장에서도 독자적인 브랜드 제품을 만들어내려던 시기였다.

이처럼 아프리카와 아시아를 잇는 상업네트워크의 개척자들은 먼저 자신의 등에 상품을 짊어지고 운반했다고 한다. 평범한 장사부터 출발해서 지금은 컨테이너 단위의 무역을 경영하는 대상인들이, 아시아의 공장에 인기가 높은 디자인을 가져와서 '아프리카적'인 프린트 바틱, 즉 아프리카 프린트를 주문한다. 시장의 흐름을 만들어내고 요구하는 상품을 공급하는 상인은 고대왕국시대부터 아프리카경제의 주역이었던 것이다.

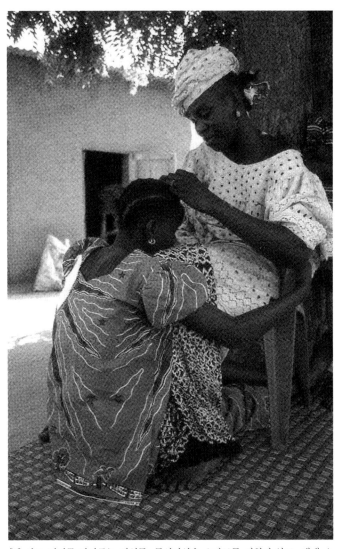

[4] 서로 머리를 땋아주는 여성들. 독신여성은 스카프를 걸치지 않고, 대개 소매가 달린 짧은 상의와 허리를 감는 천이나 또는 스커트를 입는다. 레이스로 만든 소매가 달린 원피스 역시 아프리카 트린트에서 즐겨 제작되는 패션이다. (ⓒ 1996.10)

아프리카 프린트의 풍경

이토 미쿠(오사카대학 대학원 인문과학연구과 대학원생)

아프리카 프린트와의 만남

보고란(Bogolan)이라 불리는 전통적인 진흙염색기법에 대한 조사를 위해 서아프리카, 말리공화국으로 찾아간 것은 2004년 10월의 일이었다. 말리에 도착해서 마중 나온 사람에게 처음으로 받은 것은 한잔의 컵에 담겨있는 우물물과 아프리카 프린트의 천이었다. 파리를 출발한 비행기는 말리의 수도인 바마코에 밤늦게 도착하였고, 신세를 지게 된 집에 도착하자 잘 시간이 되었다. 마중 나온 사람은 말리의 공용어인 프랑스어를 몰랐고, 필자는 여자아이가 말하는 밤바라 말을 할 줄 몰랐다. 약간 어두운 집안에서 그녀가 아무런 말없이 내민 물을 받은 필자는 혹시 배탈이 나면 곤란하니까 옆으로 치워놓았다. 그리고 잠자리에 들 시간이라 그녀가 건네 준 얇은 천을 받아 바로 잠자리에 들었다.

[1] 아프리카 트린트로 만든 천을 착용한 모녀들. 말리, 바마코 (ⓒ요시모토 시노부 2005)

다음날, 눈부신 햇살에 피로해진 몸을 일으켜 세우니 너무나도 화려한 천이 눈에 들어왔다. 지난밤은 어두워서 그녀가 건네 준 천이 어떤 색인지 알 수 없었던 것이다. 그러고 보니 담요를 건네 준 사람이 누군지 궁금해졌다. 알고 보니 이 집에 살면서 심부름을 하는 10대 후반의 아가씨였다. 그리고 지난밤에 나에게 건네 준 천은 침대시트의 아프리카 프린트의 천이었다. 그녀는 역시 컬러풀한 아프리카 프린트로 감싼 포대기에 쌓인 그녀를 똑 닮은 아기를 업고 있었다. 그녀는 말리에서 자주 볼 수 있는 '일하는 젊은 엄마'였던 것이다.

말리의 여성은 매우 멋쟁이였다. 길을 가는 여성은 어린 아이부터 젊은 아가씨, 그리고 나이가 든 여성까지 아프리카 프린트 천으로 한껏 멋을 내고 있었다. 부부라고 부르는 헐렁한 의복은 천을 여유롭게 사용해서 만든 것이었다. 말리의 쨍쨍하게 내려쬐는 태양 아래서 보는 멋있는 중년 여성이 입고 있는 선명한 아프리카 프린트인 부부는 압도적이었다. 더운 날씨에 쓸데없이 힘들이지 않으려는 절제된 움직임과 함께 풍성한 천이 여유롭게 움직인다. 파냐라는 허리에 휘감는 천에도 아프리카 프린트를 사용하고 있다. 등을 곧게 쭉 펴고 머리에 땅콩이 든 바구니를 이고 팔러 나가는 여성의 천 끝자락이 바닥에 쓸려 더러워진 파냐. 외국계 회사에 근무하는 커리어 우먼의 상하 한 벌로 맞춘 말쑥한 차림의 파냐. 집안일을 하느라 연기가 한껏 배인 파야. 모두 컬러풀하고 화려하지만 떠들썩하지 않은 그녀들만의 움직임과 함께 색과 무늬는 주변과 잘 어우러진다.

그녀들의 패션을 보고 있으면, 필자도 아프리카 프린트를 한번 입어보고 싶어졌다. 시트 대신에 받은 그 천을 빨아서 한껏 파냐처럼 걸쳐 보았다. 파냐를 휘감고 식사장소에 나와 있던 필자를 보고 그녀들은 박수를 치면서 웃는다. 근처에서 일을 도와주던 비슷한 연령대의 사람들도 애기를 하러 모여든다. 처음으로 입어보는 아프리카 프린트를 자랑하듯 펼쳐 보인 필자에게 따끔한 충고의 말이 뒤따

[2] 아프리카 트린트 의상을 착용한 남성. 말리. 세그 부근
(ⓒ요시모토 시노부 2005)

느가 프린트 된 천이다. 1910년에 말리를 방문한 프랑스의 인류학자는 손으로 짠 천에 진흙을 사용하여 무늬를 나타내는 보고란 염색기법이 유럽의 면제품에 밀려 사라질 것이라 예상했다 [de Zaltner 1910: 225(Rovine 2000: 2에 인용)]. 약 1세기 전의 예상대로 여성할례의식과 사냥할 때 이용하던 보고란은 서서히 모습을 감추었다. 그러나 1960년, 독립 이후의 국가건립 과정에서 보고란은 '말리의 문화'를 표상하는 것으로 대표되어 아트와 패션의 세계에서 주목을 끌게 되었다. 상의, 미니스커트, 숄더백, 쿠션커버 등 다양하게 변용할 수 있는 보고란 무늬의 천은 국내뿐만 아니라, 다른 아프리카국가들과 유럽에서도 유통되었다. 특히 미국에서는 아프리카계 미국인이 자신의 '아프리카성(性)'을 표현하는 데에 사용하면서 유행하게 되었다고 한다 [Rovu=ine 2001: 131-140].

바마코의 포목점에서 보고란 무늬의 천을 펼치면서 메모하던 필자를 보고 가게주인이 조금 다음과 같이 놀린 적이 있다. '아가씨, 보고란에 관한 공부를 하고 있나요? 그렇다면 미안하지만 그건 보고란이 아니예요. 보고란 무늬가 들어간 프린트 천이예요. 그 차이를 아나요?'. 원래 밤바라말로 '진흙으로 물들이다'라는 의미인 보고란(bogolan)은

른다. '안돼요, 입는 방법이 틀렸어요.' '앞과 뒤의 길이가 서로 달라요', '이 무늬를 앞으로 하는 편이 좋아요'라고. 어떻게 입는지 설명을 듣고 나서야 겨우 합격점을 받았는데, 모두 짧은 프랑스말로 '쎄시봉'이라 말해 준다. 엄마의 등 뒤에 업힌 아이도 발을 맞대면서 웃는다. 예정에 없던 일로 시간을 허비했다고 생각했을까. 그녀들은 서둘러, 하지만 어딘지 여유로운 분위기로 집안일을 하러 돌아갔다.

자문화의 표상 '보고란'

말리의 아프리카 프린트는 주변의 나라들처럼 다양한 무늬로 표현된다. 우아한 꽃무늬, 규칙적이며 기하학적 무늬, 번뜩이는 일러스트 등 몇 번을 봐도 싫증나지 않는다. 그 중에서 다른 지역에서 볼 수 없는 무늬의 천이 있다. 그것은 말리의 전통적인 진흙으로 염색한 보고란의 무

[3] 말리의 전통적인 진흙을 이용하여 염색한 천. 보고란. 국립민족학박물관.

[4] 아프리카 프린트의 드레스를 착용한 여성. 말리. 바마코
(ⓒ요시모토 시노부 2005)

공장에서 화학염료를 사용하여 염색한 것으로 '아프리카 프린트'로서 알려졌다. 바마코의 포목점, 일본과 유럽의 에스닉 잡화점, 미국의 아프리카계 아메리카인의 방, 보고란의 전통과 아프리카 프린트의 경제가 '아프리카니즘'이라는 이름으로 전 세계에서 교차하고 있다.

생활 속에 녹아든 프린트

말리에서는 다양한 모습으로 천을 팔고 있었다. 몇 십장의 아프리카 프린트를 머리에 이고 팔러 다니는 이는 마을의 상점에서 파는 가격보다 싼 경우가 많다. 그들은 지나가는 여성을 불러 한 장씩 한 장씩 천을 펼쳐 보이면서 장사를 한다. '아름다운 무늬죠? 이걸 사면 이득이예요. 왜냐하면 유럽산 정품의 왁스프린트니까요'. 그러나 말리에서 '네덜란드 왁스'라 불리는 유럽제의 왁스프린트는 대다수의 말리 사람들이 그리 간단히는 살 수 없을 정도의 고가품이다. 천을 찬찬히 고르던 여성들은 행인이 파는 천이 '네덜란드 왁스'가 아닌 것을 알고 있을 것이다. 가격을 깎아 부르는 값의 절반을 주고 사간다. 이런 사정을 몰랐던 필자는 어느 날, 집에 찾아온 말이 청산유수인 사람에게 부르는 대로 지불하고 천을 사려고 했다. 그러자 뒤에서 그 모습을 보고 있던 여성이 밤바라 말로 판매하는 사람에게 뭐라고 말하자 그만 둘 사이에 싸움이 나버렸다. 한참 뒤에 그녀가 '1,500세파만 내세요'라고 성난 어조로 말한다. 필자가 3500세파에 살려고 했던 '네덜란드 왁스'의 천은 절반인 1,500세파면 살 수 있는 물건이었다. 아니면 더 싸게 살 수 있었을지도 모른다. 그 가격에 물건을 판 남자는 시무룩한 표정 없이 웃으면서 돌아갔으니 말이다.

이처럼 상점에서 혹은 길거리에서 파는 것 외에, 기업에서 홍보와 기념품으로 천을 나눠주는 일도 있다. 회사로고가 프린트된 천, 활짝 웃는 대통령의 얼굴이 프린트된 천, 단체의 슬로건이 프린트된 천 등 비록 무료라고 해도 말리의 여성은 이런 걸 별로 좋아하지 않는다. 필자가 발견한 이런 종류의 천은 방에 두거나, 시트, 햇빛가리개 용도로 몰래 실내에서 '홍보'와 '정치적 주장'을 표현하고 있었다. 그러나 수입이 적은 가난한 사람들에게는 이러한 천은 매우 소중할 것이다. 그녀가 어린아이의 포대기용으로 사용하던 은행로고가 새겨진 천은 몇 번이고 세탁한 탓인지 색이 바래졌으며, 빳빳한 감이 없이 흐늘거렸다. 아마도 수년간 소중하게 사용해 왔을 것이다.

말리에 있은 지 5개월, 말리를 떠나기 하루 전날 밤, 필자가 선물한 빨간 원피스를 입고 그녀가 내 방문을 노크한다. 그리고 조금은 부끄러운 듯이 조용히 한 장의 천을 건네 준다. 크림색 바탕에 파랑색의 원 모양이 선명한 아프리카 프린트였다.

세계화와 바틱

이케모토 유키오(도쿄대학 동양문화연구소 교수)

세계화의 시대

1990년대에 들어서서 세계화의 세찬 기운은 점점 확산되어 갔다. 관세와 그 외 무역의 장벽이 되는 규제를 철폐하기 위한 자유무역협정은 이 시기에 급증했다. 1993년에는 EC가 EU로 되고, 북미에서는 1994년에 미국과 캐나다, 그리고 멕시코가 NAFTA를 체결하고, 경제통합을 전개해 갔다. 1995년에는 자유무역을 촉진하기 위한 WTO(세계무역기관)이 설립되었다. 동아시아는 이와 같은 흐름에 뒤쳐졌다. 일본이 처음으로 FTA를 맺은 것은 2002년의 일로 상대는 싱가포르였다. 이 협정은 '경제연대협정'으로 불렸고, FTA보다도 더 폭넓은 분야에서 자유화를 전개하게 된 것이다. 그해에 중국은 일본과 경쟁이라도 하듯이 ASEAN(동남아시아제국연합)과 FTA교섭을 시작했다. 이처럼 FTA를 통한 자유무역화의 흐름은 아시아에서도 갑자기 가속화됐다.

그러나 실제로는 이와 같은 협정이 체결되기 이전부터 아시아 지역의 경제는 세계화되고 있었다. 그 계기는 1980년대 후반의 일본화폐의 상승이었다. 엔화가 올라감에 따라 일본의 수출산업은 국제경쟁력을 잃었고, 그때까지 일본에서 미국으로 수출하던 공업제품은 노동코스트가 낮은 동남아시아에서 대신 생산하게 되었고, 그곳에서 미국으로 수출되는 형태로 변화했다. 바로 그 시기에 중국은 개혁개방정책으로 전환했고, 중국도 국제시장으로 진입하기 시작했다. 동시에 베트남도 도이모이로 불리는 개혁개방정책으로 전환했고, 수출정세에 영향을 끼치게 된다. 일본과 대만, 그리고 한국에서 국제 경쟁력을 잃은 산업은 동남아시아로, 동남아시아에서 국제 경쟁력을 잃은 산업은 중국, 베트남으로 전개되는 모습으로, 공업화의 물결은 격동적으로 아시아 지역으로 확산되었다. 이 모습은 마치 기러기의 무리가 비행하는 모습과 유사하다고 하여 기러기형 형태론으로 알려졌다.

바틱의 세계화

산업으로서의 바틱도 마찬가지로 변화의 물결을 맞았다. 인도네시아의 바틱 산업은 1930년대에 유럽과 일본에서 바틱을 본 딴 공장에서 제조된 저가의 프린트 바틱이 들어왔을 때, 수작업을 하던 바틱은 고급화함으로써 대중을 상대로 한 짭(밀랍의 틀로 찍는 도구)을 도입하여, 낮은 생산단가 정책을 씀으로써 살아남았다. 전통산업이 고급품과 대중품으로 이분화해가는 것을 확인할 수 있다.

[1] 짠띵을 사용하여 천에 밀랍을 그려넣는 작업. 태국 푸껫 (ⓒ요시모토 시노부 2006)

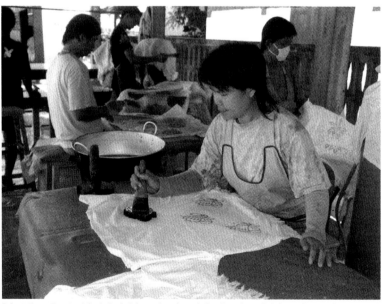

[2] 목제 스탬프를 이용하여 밀랍을 프린트하는 작업. 태국 란뿐 외곽 (ⓒ요시모토 시노부 2006)

그러나 저생산비 정책에 따른 전략은 임금이 높아지게 되면 사라진다. 엔고 현상과 세계화의 파도에 편승하여 1980년대부터 동남아시아 전체에서 경제성장이 가속화되기 시작하자, 인도네시아의 임금수준도 상승하였고, 대량 생산품은 낮은 생산단계에 따라 국제경쟁력을 유지하기가 곤란해졌고, 1970년대에는 바틱의 의장을 모방한 바틱보다도 저렴한 프린트 바틱이 생산되었다.

공장제 프린트 바틱

인도네시아 이외 나라에서 바틱을 모방하여 대량생산한 프린트 바틱이 국제경쟁력을 가지게 된 것은 공장에서 제조하는 기계화에 따른 생산비 절감에 성공했기 때문이다. 태국의 섬유산업이 국제 경쟁력을 가지게 된 것은 1970년대부터 1980년대에 걸쳐서 일어난 일이다. 이 과정에서 기술력을 향상시킨 태국 섬유산업이 인도네시아의 바틱을 모방한 프린트 바틱을 생산하게 되었던 것이다. 방콕과 그 외의 지방도시의 섬유시장과 더 소규모인 마을의 장에서 팔리던 바틱 풍의 프린트 바틱에는 인도네시아 제품이라 하더라도 실제로는 태국 제품이 섞여있었다. 그것은 라오스, 캄보디아, 미얀마 등의 주변국에서도 국경을 넘어 수출하고 있었다.

태국의 마을에서는 손으로 짜는 면포가 여성의 스커트로 사용되었지만, 저가의 공장제 프린트 바틱은 태국여성을 직물이라는 큰 부담이 되는 노동에서 해방시켜 주었고, 가볍고 움직이기 편하고, 세탁도 편한 점에서 전통적인 면직물로 교체되었다. 또 인도네시아 바틱 풍의 디자인도 인기를 끌었다. 시장에서 인도네시아 제품을 강조하는 스티커를 통해 '인도네시아의 바틱'이 특별한 부가가치를 가지는 것을 연상시킨다.

태국보다도 더 강력한 라이벌은 말할 것도 없이 중국이다. 1990년대로 들어서면, 중국의 저임금과 대량 노동력을 배경으로 한, 저가격 제품은 다양한 분야에서 세계시장을 장악했다. 중국제품은 선진국 시장뿐만 아니라, 아시아, 중남미, 아프리카까지 세계시장 속으로 급격히 퍼져나갔다. 중국과

라오스의 국경 시장에는 중국연안지대의 공장에서 제조한 프린트 바틱도 판매되었다. 중국과 라오스 사이를 넘나들던 상인이 이곳에서 물건을 구입하고, 육로를 통해 라오스 국내로 들어가 판매하고, 그 일부는 다시 메콩강을 건너 태국으로, 혹은 남쪽으로 내려가서 캄보디아까지 수출되었다. 태국산에 비해 저가라는 이미지가 붙은 중국제지만, 그래도 그 극단적인 가격대는 매력적이었고, 가볍고 움직이기 쉽고 세탁도 간편하다는 기능성이 있어 여성의 노동을 감소시킨다는 점에서 환영을 받았다. 이처럼 전통직물의 자급적 생산은 시장에서의 교환과 대체되었고, 시장경제의 파도가 아시아 곳곳에 퍼져나갔다. 이것은 소비자 쪽에서 본다면 현지의 산업을 파괴한다는 의미로, 심각한 경제문제를 일으켰다. 중국 제품이 저렴하다는 것은 저임금의 문제뿐만 아니라, 중국의 화폐가 과소평가되기 때문이라고 해서 중국 화폐에 대한 절상을 요구하는 압력이 점점 높아졌다.

[3] 자바 바틱의 디자인을 본 딴 꽃다발 무늬가 표현된 사롱을 입은 할머니. 태국 방콕 (©요시모토 시노부 2003)

고가품의 모방

바틱 뿐만 아니라 일반적으로 전통산업이 살아남는 길은 대량생산에 따른 낮은 가격대를 형성하거나 대중을 위한 상품화를 하거나, 고품격화(고가격, 소량생산)를 하는 방법이다. 고가품의 분야에 있어서도 세계화는 진행되었다. 태국에서는 2001년에 탁신 정권이 등장하면서 지방 진흥책으로서 일본의 한 마을 한 품목 운동을 모방한 OTOP(One Tambon One Product, 한 마을마다 하나의 특산품을 생산하는 운동–역자주)가 시행되었다. 세계화의 시대에는 전통적인 것에 대한 동경도 불어났다. 전통적인 것을 소중하게 여기고 싶다는 생각이 태국사람들을 농촌과 농촌에서 만든 소박한 제품으로 눈을 돌리게 했다. 태국의 전통적인 직물은 집중대상 상품이었지만, 이들과 혼합되어 인도네시아에서 가져온 바틱 기법을 통한 날염된 천도 인기가 높았다. 세계화는 선진국으로 눈을 돌리게 하는 것뿐만 아니라 동남아시아의 근접국가에도 눈을 돌리게 하는 사례라 하겠다. 동남아시아 중에는 인도네시아 문화의 우수성을 동경하는 경향이 있는지도 모른다. 태국에서는 바틱의 날염기법도 예술학교와 직업훈련소에서 교육하고 있다. 또 정부는 기술지도는 물론이고 자금적인 원조와 시장개척을 위한 전시회 등도 시행하고 있다.

태국의 전통직물 담당자가 나이가 많은 여성인 것에 비해, 날염에 종사하는 사람들 중에는 예술적인 센스를 가진 젊은 남성도 포함되어 남녀 모두 연령층이 낮다. 여기서도 태국사람의 바틱에 대한 의식의 차이를 엿볼 수 있다. 이처럼 바틱의 날염기법은 태국실크에도 도입되어 선물용으로 관광지 등에서 판매되기도 하고, 혹은 방콕의 부유층이 즐겨 구입하기도 한다. 북부태국의 관광지 탐방에서 하나의 명소로서 태국 전통직물 마을은 물론이고, 신흥 바틱공장도 투어코스에 포함되었다.

그러나 태국의 임금은 이미 높아져 시간이 많이 걸리는 노동집약적인 바틱 산업은 더 낮은 임금을 찾아 옮아갔다. 미얀마는 바로 그러한 상황에 딱 맞는 곳이었다. 미얀마에서 인도네시아와 거의 동일한 기법으로 생산되었다. 아마도 싱가포르의 화인이 중간에 서서 인도네시아의 바틱 기술을 미얀마로 전해주었을 것이다. 일본의 직물 산지가 저임금을 찾아 동남아시아로 진출하는 것을 규제했음에도 불구하고 은밀히 진행되고 있는 것처럼, 전통산업이 살아남기 위한 수단의 하나인 것이다. 인도네시아의 바틱이 비록 사라졌다고 하더라도, 세계화의 시점에서 바라본다면, 세계의 어느 곳에선가 살아남았다고 볼 수 있는 것이다.

세계화의 업보

세계화에 대한 저항은 그 뿌리가 깊다. 이는 수입품과의 경쟁에서 패한 산업에 종사한 노동자들이 직업을 잃었다는 직접적인 피해에 대한 저항이자, 옛 전통이 사라져 가는 것에 대한 저항이기도 하다. 그러나 이러한 저항에도 불구하고 세계화는 진행해 간다. 원래 바틱은 글로벌한 상품이었다. 그 의장은 인도를 비롯한 해외 국가들로부터 들어온 것이다. 식민지시대 때, 인도네시아는 아시아의 중심지 중 하나였다. 유럽에서 보면 일본과 같은 국가는 이보다 끝에 위치한 변경 지대였을 것이다. 좋은 것은 세계 속으로 뻗어나가기 마련이고, 기술 역시 확산되기 마련이다. 그곳에 이문화의 요소가 첨가되어 새롭게 전개되는 것이다.

[4] 자바 바틱의 디자인을 본 딴 꽃다발 무늬가 표현된 사롱을 판매하는 상점. 태국 방콕 (ⓒ요시모토 시노부 2003)

태국 북부의 산지사회에 확산된 프린트 바틱의 사롱

니시모토 요이치(카네자와대학 문학부 강사)

현대의 '전통의상' 테두

미얀마와 국경을 접하는 태국 북부 산지에는 각각 고유의 문화와 언어를 가진 소수민족이 생활하고 있다. 이들 민족의 대다수는 전통적으로 산지에서 화전경작에 종사하며, 자신들의 문자는 없고, 정령제사의 경향이 강하며, 산지에 점처럼 작은 집락을 형성하면서 생활하고 있다. 이들은 자신들의 국가를 형성하는 일 없이, 장기간 저지대 민족에 의한 지배를 받지 않는 주변지대에서 생활해 왔다. 그러나 태국 북부산지에는 1980년대 중반부터, 태국 정부의 국경관리가 실질적으로 동반됨과 동시에, 화폐경제와 공장 생필품이 급속히 유입되었다. 저지대에서 대량으로 생산된 저렴한 바틱도 2001년까지 필자가 주거하고 있던 라프족 마을에서는 이미 친숙한 일이었다.

산지에서 살던 소수민족은 외부사회에서의 영향도 적고, 예부터 고유한 생활양식을 보유하고 있던 사람들이라고 생각되지만, 태국 산지민의 대다수는 일반적으로 민족의상을 입지 않았다. 필자가 있던 라프마을에서도 남성은 티셔츠에 바지, 여성은 셔츠에 사롱(통형 스커트)을 주로 입었다. 이와 같은 '일상복'은 저지대의 태국사람들로부터 받은 오래된 옷이거나 시장에서 구입한 저렴한 의복이 대부분이었다. 그러나 공장에서 만든 셔츠와 바지가 저렴하

고, 무료로 구입가능하다고 해도, 불가사의하게도 마을에 있으면 사롱을 입은 모습을 자주 발견하고 된다. 라프의 여성은 바지와 스커트보다도 사롱을 즐겨 입었다. 이러한 점에서는 태국의 학교에서 교육을 받은 젊은 여성도 예외는 아니었다.

장방형 천의 두변을 재단한 사롱을 라프어로 '테두'(htehdu, 어원 미상)라고 하며, 남녀불문하고 같이 사용하고 있다. 미얀마에서 태국으로 이주해 온 라프남성 중에는 미얀마풍의 '테두'(미얀마어로 '롱지')를 즐겨 입는 사람들이 있다. 라프 남성이 입는 이와 같은 테두는 집에 있을 때에 입는 것으로, 색도 진한 청색계통으로 그다지 화려하진 않다.

한편, 라프 여성이 입는 테두는 매우 다양한데, 상황에 따라 다양한 색과 무늬의 테두를 착용한다. 보통은 일상적으로 테두를 입고 있더라도 특별한 일이 생기면 신상품, 혹은 깨끗한 것을 입거나, 큰일을 대비해서 준비해 둔 라프의 민족의상인 테두를 입는다. 정월 축제 때에 큰 원을 그리면서 춤을 추는데, 라프의 전통무늬인 테두가 나란히 늘어서 있어 새로운 분위기를 더해 준다. 정월축제 때에 볼 수 있는 라프의 테두는 대개 마을의 상점에서 판매하는 검은 옷감에 빨강 혹은 다른 색으로 아플리케를 단 현대풍의 '전통의상'이다.

[1] 정기적으로 열리는 시장에서 테두를 고르는 라프 여성. 훌륭한 품질의 테두가 저렴한 가격에 판매된다. (ⓒ 1999.12)

[2] 마을에 있으면 사진을 찍어달라는 요청을 많이 받는다. 기념촬영 때에는 다양한 디자인의 테두가 등장한다. (ⓒ 2000.03)

[3] 의례의 한 장면. 테두를 입은 라프여성의 앉은 자세에는 독특한 신체기법이 보인다. (ⓒ 1999.12)

[4] 밖에서 하는 일에도 테두를 착용한다. 벼를 심는 이런 모습에서만 무릎 위까지 걷어올린 여성을 모습을 볼 수 있다.

여성 내복에 관한 금기

라프사람들 사이에서 유통되는 '전통의상' 외의 테두는 저지대의 시장과 정기적으로 열기는 장에서 구매할 수 있다. 저지대에서 라프의 마을로 전해진 이러한 종류의 테두는 거의 예외 없이 저렴한 프린트 바틱이다. 대부분은 자바 바틱 사롱의 무늬를 본 딴 것으로, 태국에서 생산된 것이다. 필자가 있던 라프마을 근처에는 때에 맞춰 시장이 섰는데, 매주 화요일에 장이 서면, 아침 일찍부터 라프사람들이 장을 보러 가는데 여성들의 목적 중의 하나는 테두였다. 정기적으로 열리는 장터에서는 저가에서 고가까지 프린트 바틱인 테두가 대량으로 팔린다. 이 중에서는 생산공성 중에 프린트 무늬가 어긋나거나, 혹은 무늬의 일부분이 떨어져나가는 등 원래는 시장에서 상품으로 팔 수 없는 불량품도 포함되어 있는데, 이들 불량품은 3장에 100바트, 혹은 4장에 100바트라는 엄청나게 싼 가격에 팔린다. 저지대 사람들과 함께 라프 여성들은 열성적으로 테두 고르기에 여념이 없다.

라프여성이 테두를 입을 때는 천 가운데로 들어가 허리 부분에서 남는 부분을 서로 짚어서 고정한다. 자세를 바꿀 때마다 테두도 같이 고쳐서 바로 잡는다. 벨트로 하지 않는데도 흘러내리는 일 없이 편하게 걸어 다닌다. 심지어는 테두를 입고 농사일도 하며, 돈을 넣어두는 호주머니처럼 사용하기도 한다. 마을에서 생활하는 여성들은 언제나 발목까지 테두를 덮고 있다.

테두를 입는 여성은 평소에 다리 사이가 보이지 않도록 신경을 많이 쓴다. 옛날 사람들은 테두 아래에 내의를 입지 않았다고 하며, 지금도 나이가 든 사람들은 내의를 입지 않는다. 주저앉을 때는 두발 사이에 있는 테두의 끝을 손을 잡아당겨 다리를 굽힌다. 외부인들에게는 가엾게 보일지도 모르나, 그들에게는 무의적으로 나타나는 신체적인 행동인 셈이다.

라프 여성의 대부분은 목욕할 때도 테두를 입은 채로 한다. 나이든 여성의 경우 상의를 위로 올리기도 하지만 허리에 둘러 맨 테두가 벗겨지는 일은 거의 없다. 테두 안에서 비누칠을 하고 물로 씻어 내리는 것으로 목욕은 끝나며, 그대로 새로운 테두를 머리에서 밑으로 내린다. 젖은 테두를 밑으로 떨어뜨려 그 장소에서 바로 세탁을 해 버린다. 그런 다음 테두의 끝을 들어 올려 가슴 위에 고정함으로써 원피스처럼 입고, 세탁물 등을 안고 집으로 돌아간다.

라프인들 사이에는 앉아 있는 남성 위로 세탁물을 넘어 말리거나, 여성 라프가 남성의 머리 근처나 혹은 위에 서 있는 행위는 절대로 있을 수 없다. 테두는 화려한 의복이라기보다는 속옷으로 간주되며, 여성의 하반신에서 발산되는 부정 및 주술적인 힘과 결부되어 있다.

평상복에서 외출복으로

라프 마을사람들에게 옛날이야기를 해달라고 하면, 중국과 미얀마에 살고 있던 '옛 조상의 시대'에는 여성은 스스로 옷을 만들었다고 한다. 목화 실을 타서 직물을 짜기 시작했던 적도 있었고, 구입해 온 천을 재단한 적도 있었다. '다른 것을 만드는 방법을 알지 못했기 때문에 라프의 옷을 만들었다'고 하는 말도 들린다. 단 한 벌의 옷만 장만한 사람이 있는가 하면 두세 벌을 장만한 사람도 있었다. 1960년대 후반에 촬영된 사진을 보면, 라프 여성('라프니'라는 하위집단)의 대부분은 검은 원단에 빨강과 흰색 등의 띠 모양의 무늬를 시문한 테두를 입었다. 모두 검은색이 대부분인 이들 테두와 화려한 무늬의 프린트 바틱이 주는 인상은 전혀 다르다.

일찍이 라프에 대해서 산지와 저지대마을의 거리는 관념적으로도 물리적으로도 매우 떨어져 있었다. 소금 등 필수품만 겨우 저지대의 시장과 행상인에게 부탁할 수 있었다. 고추를 등에 지고 2, 3일 걸려 저지대의 시장까지 가서 팔고, 다시 소금을 사서 짊어지고 돌아왔다는 이야기도 들린다. 지금과는 달리 저지대 사람들이 기부한 옷도 없었다. 따라서 의복은 자신들이 직접 지어 입을 수밖에 없었다.

현재 태국에서는 대량생산된 의복을 저렴하게 구매할 수 있다. 의복을 사는 것에 비하면, 스스로 목면을 심고, 채집하고 봉재하고 짜고 재단해서 의복을 만들어 입는 것은 시간이 많이 걸리는 일이었다. 만약 '그런 일들'을 금액으로 환산한다면 '의식주' 중에서 '옷'의 부담은 '식비와 주거'에 비해 많이 줄어든 셈이다.

이처럼 민족의상은 '평상복'에서 '외출복'으로, 가정에서 만들어 입던 것에서 상점에서 사 입게 되었다. 정월이나 문화 이벤트에서는 의복의 원단을 재봉틀로 가공한 새로운 기법으로 만든 라프의 테두를 입고, 외부에서 온 손님들을 위해 '전통적인' 라프의 춤을 공연하기도 한다. 주로 수작업을 했던 오래된 라프의 테두는 신상품의 경우, 화려한 의복이든 오래된 옷이든 평상복이라는 경로를 거쳤을 것으로 생각되지만, 지금은 라프의 '민족의상'을 말할 때 현대적인 기법으로 제작된 전통문양의 테두가 떠오른다.

반면에 '라프의 전통'을 상징하는 장소에서 벗어나 일상으로 돌아가면 프린트 바틱의 테두가 압도적으로 많다. 검은색을 바탕으로 한 라프의 '전통적인' 테두에 비하면 프린트 바틱의 테두는 역시 선명한 색감이 두드러진다. 일상생활에서 라프 여성은 이민족 디자인인 프린트 바틱의 테두를 즐겨 입었다. 이 프린트 바틱의 테두의 용도는 크게 둘로 구분되는데, 값이 비싸고 신상품의 테두는 젊은 여성들이 좋아하는 반면, 저렴하고 오래된 헌옷은 야외용이나 평상복으로 사용되었다.

라프의 의복상황은 크게 변화했지만, 테두는 여전히 착용하고 있으며, 상징적으로도 큰 의미를 지니고 있다. 테두는 속옷임과 동시에 외출복이기도 하고, 아름다움도 지니고 있다. 전통적으로도 라프인들 중에서 작지만 어떤 의미를 지녔던 테두는 지금은 대부분 대량생산된 프린트 바틱이지만, 프린트 바틱의 테두는 평상복 혹은 외출복 모두 라프의 생활 속에서 새롭고 중요한 의미를 갖는다. 현대의 라프 마을의 생활은 프린트 바틱과 함께 하는 생활인 것이다.

[5] 새로운 방식으로 제작된 라프의 전통의복. 테두는 정월 축제의 화려한 분위기를 더해 준다. (ⓒ 1997.01)

인도차이나 북부의 프린트 바틱

카시나가 마사오(국립민족학박물관 조교)

태국 북부, 라오스 북부에 보급된 프린트 바틱

언어, 생업, 물질문화, 풍속관습이 다른 수많은 민족이 모자이크처럼 분포하는 태국, 라오스, 베트남, 중국 운남성 등의 인도차이나 북부에는 '분지, 산의 중턱, 산의 정상'이라는 고도마다 지세에 대응하여 여러 민족이 살고 있다. 이곳에서는 민족마다 문화적 특징이 염직, 자수, 펀치트 워크로 만든 선명한 의상사진을 통해 문헌에서 소개되곤 한다. 연구자와 문화정책 담당자가 의상을 시각적으로 표상하는 민족의 필수 아이템으로 여겼기 때문이다. 그러나 20세기 전반 이후, 인도차이나 전쟁(1945~1954년)과 베트남 전쟁(1960~1975년)을 비롯한 전란과 국가별 행정지도를 통한 '산지민 정주화 촉진 정책' 등을 배경으로, '분지, 산 중턱, 산꼭대기'라는 3층으로 분할된 모델에서는 민족과 문화의 분포상황을 말하기 어렵다. 실제로 민족마다 고유의 전통의상을 착용한다는 예전의 이미지도, 지역과 민족마다 민족의상과 맞물린 문화정책으로 과장되었던 것이다. 근년의 태국 북부와 라오스 북부로 관심을 돌리면, 자바 바틱의 무늬를 모방한 프린트 바틱의 통형 스커트가 민족의 경계를 넘어서 여성들 사이에서 인기를 얻고 있다.

프린트 바틱이 보급된 이유는 먼저 저렴한 가격 때문이다. 특히 무늬가 맞지 않는 불량품일 경우, 약 3m의 천이 시장에서 1장당 3만~4만 5천원의 가격으로 팔리기 때문에, 다른 프린트 바틱이나 손으로 짠 편물, 혹은 기계로 짠 천보다 저렴한 가격으로 판매된다. 두 번째는 저렴한 가격만이 아니라, 다양한 색상으로 표현되는 무늬의 선명함이 현지 여성들의 미의식을 충족시켰음은 물론이고, 합성세제로 세탁하더라도 그다지 색이 바래지 않는 점, 그리고 천이 얇기 때문에 전통적인 두꺼운 직물보다 시원하고, 젖더라도 건조가 빠른 점에서 알 수 있듯이 손쉽게 사용할 수 있기 때문이다.

예를 들면, 라오스 북부의 루앙프라방의 시장에 가면, 손으로 짠 전통적인 천을 통형으로 만든 라오스어로 '신'이라 부르는 스커트를 입은 사람들로 붐비지만, 정작 바틱을 입은 여성은 가끔씩 눈에 띌 정도이다. 이들 여성의 대부분이 라오스 민족의 대부분을 차지하는 분지에서 생활하는 라오민족이다. 라오스 북부에는 태국어 계통의 라오에 비해서, 몬이나 크메르어 계통의 캄 등 산 중턱에 사는 여성 쪽이 바틱으로 만든 통형 스커트를 착용하는 비율이 다소 높다. 민족을 불문하고 장방형 바틱 짧은 쪽의 양 끝을 바느질하는 것만으로도 통형 스커트가 된다. 한편, 짧게 재단하거나, 끄트머리 천을 모아서 스커트 이외의 용도로 사

[1] 베트남 북서부 디엥비엥 성, 태국의 촌락에서 본 여성들의 의상. 띠의 끝장식에 프린트 바틱을 이용하였다. (ⓒ 2005.03)

[2] 라오스 북부, 우돔사이 교외의 캄 마을에서 직조로 천을 짜는 여성. (ⓒ 2002. 09)

용하는 예는 매우 드물다. 2004년 비엔짱의 한 토산품 상점에서 프린트 바틱 천으로 만든 A3 크기의 상품용 주머니를 제작해서 구매고객에게 제공하는 한 적이 있었다. 이러한 쓰임새는 라오스에서는 예외적인 일이다.

라오스에서 볼 수 있는 자바 바틱 풍의 프린트 바틱은 라오스 제품이 아닌 태국에서 종종 들어오던 수입품이다. 생태환경 면에서, 또는 민족의 분포 면에서 말하더라도 라오스 북부와 유사한 베트남 서북부 주민 사이에는 자바 바틱 같은 프린트 바틱은 거의 보급되지 않았고, 시장에서도 거의 팔리지 않았다. 대부분 꽃과 용, 그리고 나비 등을 모티프로 한 중국제품의 프린트 바틱이어서, 자바 바틱 풍의 무늬가 사용된 예는 매우 드물었다.

자바 바틱은 밀랍염색 기법을 통해 무늬를 표현한 천이다. 그러나 밀랍염색을 한 바틱이 곧 자바 바틱이라는 말은 아니다. 왜냐하면 인도차이나 북부에 널리 분포하는 몬(苗)족, 야오(瑤)족처럼, 고산지대에서 화전과 계단식 논농사를 주된 생업으로 하는 사람들 사이에서도, 밀랍염색은 19세기 이전부터 계승되어 왔기 때문이다. 몬족과 야오족는 마와 면이라는 평직으로 짠 흰 천을 밀랍으로 방염 가공한 것으로 쪽색 바탕천에 흰 무늬를 나타낸다. 그 외의 색은 자수와 펀치트 워크로 처리한다. 자바 바틱은 늦어도

[3] 베트남 서북부 손라성 투안차우의 시장 직물상점. 중국에서 수입한 천 중에 바틱이 섞여있는 경우가 있다. (ⓒ 2005.03)

19세기 이후, 인도나 중국, 그리고 이슬람 제국 등 외래의 디자인을 배합하고, 쪽 염색 이 외에 쪽과 다갈색 계통의 염료, 또는 그 외의 염료를 사용하여 다색염색을 통해 특징적인 무늬를 차례차례로 만들어 냈다. 요시모토 교수가 '위대한 배합'이라고 표현한 것처럼, 근대 이전부터의 글로벌리즘에 근거한 무늬, 그리고 그곳에서 창출된 '바틱다움' 이야말로 자바 바틱의 특징이라 할 수 있다.

프린트 바틱이란 프린트를 통해 무늬를 염색한 천이다. 프린트 바틱은 태국과 라오스 북부에 사는 날염의 전통이 없던 민족 사이에서도 급속하게 보급되었다. 이미 기술한 것처럼 프린트 바틱은 태국에서 수입한 것이 대부분이지만, 무늬는 거의 자바 바틱에서 모방했다. 한편, 날염의 전통을 가진 몬족이 거주하는 중국 국경지역에는 2000년경부터 몬족의 전통적인 날염무늬를 본 딴 바틱이 중국에서 국경시장으로 들어오고 있다. 더구나 이들은 관광객을 대상으로 한 토산물용인 천 제품에만 사용하지는 않는다. 몬족 사람들 자신도 몬 풍의 바틱을 매입해서 사용하는 상황이 벌어지고 있다. 그러나 자바 바틱의 무늬를 본 딴 바틱은 중국과 베트남의 국경지역 뿐만 아니라 베트남 북부전체에서 보더라도 거의 보급되지 않았다. 이러한 상황이 라오스 북부와 태국 북부에서 좋은 대조를 보여준다.

베트남 북부의 프린트 바틱

베트남 북부 산간지역에 사는 다수민족의 여성은 전통적으로 통형 스커트를 착용한다. 그러나 여성들 사이에서는 자바 바틱다운 프린트 바틱은 보급되지 않았다. 그 이유는 그 가격이 저렴하지도 않았으며, 무엇보다도 중국풍의 무늬가 표현된 프린트 바틱 쪽을 더 좋아했기 때문이다. 예를 들면, 2006년 5월에 베트남 선라성 투언쩌우현 시장에서 확인한 일인데, 자바 바틱의 무늬를 본 딴 프린트 바틱은 연속무늬였고, 겹겹이 쌓인 중국풍의 무늬가 표현된 중국산 프린트 바틱 속에 섞여서 판매되고 있었다. 더구나 중국풍 무늬의 바틱과 동일하게 약 1.6m에 3만 달러라는

가격으로 모두 판매되었다. 이들은 물건을 들여오는 시점에서 다른 프린트 바틱과 이미 섞여 있었으므로, 상인들이 특히 자바 바틱풍의 프린트 바틱을 선택하여 구매했을 것으로 여겨진다.

이 지역에서 프린트 바틱은 어떻게 사용되고 있었을까? 라오스 북부와 태국 북부의 티벳 버마어계, 몬·크메르어계, 태국어계 민족의 여성들처럼 프린트 바틱을 통형 스커트로 착용한 것을 베트남 북부에서 본 적이 거의 없다. 서북지방에 사는 태국어계 민족인 태국여성의 통형스커트는 전통적으로 폭 1m 정도의 진한 감색으로, 물들여진 평직의 천으로 대부분을 차지하는 몸통부분이 만들어진다. 여기에 폭 10cm 정도의 손으로 짠 천을 재봉하여 장식한다. 1980년대에는 이 스커트의 원단이 중국의 화학섬유에 사용한 기계직조의 천으로 대체되어 장식용 부속천도 꽃무늬 바탕의 중국풍 프린트 천으로 교체되었다. 2000년경부터는 한 장의 프린트 바틱의 양끝을 바느질하여 스커트처럼 입는 사람들이 나타났다. 그러나 그 프린트 바틱에 나타난 무늬는 자바 바틱풍이 아닌 태국계 민족의 전통적인 직물무늬를 모방한 것이었다. 그러나 멀리서 볼 때는 완전히 직물을 짜서 장식한 천으로 보였다. 하지만, 이러한 프린트 바틱을 착용한 여성도 태국을 비롯한 사람들 사이에서는 소수파에 불과하다. 오히려 젊은 층에서는 베트남의 주요민족인 킨족이 착용하는 여성풍의 무늬없는 검은색 바지를 입는 것이 널리 보급되어 있다.

이 지역풍의 직물과 자수 무늬가 아닌 무늬로 만든 프린트 바틱을 통형 스커트로 착용한 예는 베트남 북부에서 별로 볼 수 없다. 그렇지만 자바 바틱풍의 바틱은 베트남 북부사람들이 얼마간 소비하고 있다. 베트남 북부에서 특징적인 것은 라오스 북부와 태국 북부와는 달리, 프린트 바틱 조각을 이용하고 있는 점이다. 예를 들면 태국에서는 현재 띠의 양끝 부분에 폭 약 15cm, 길이 약 20cm 정도로 재단한 프린트 바틱 천을 위에 겹쳐서 바느질하여 장식하는 것이 일반적이다. 이것이 자바 바틱풍의 프린트 바틱의 자투리 천을 활용하는 좋은 사례이다. 또 중국국경 부근에 거주하는 태국어계 루 여성은 직물과 자수뿐만 아니라, 폭 3cm, 길이 20cm 정도의 좁고 긴 프린트 천을 펀치트 워크 해서 통형 스커트를 장식하는데, 이곳에 자바 바틱풍의 무늬가 표현된 프린트 바틱이 가끔 섞여 있다. 그러나 이들은 자바 바틱과는 별개로 발전한 중국의 프린트 바틱 무늬에 자바 바틱풍의 무늬를 배합한 중국산 프린트 바틱이다. 이미 기술한 것처럼 자바 바틱의 무늬자체를 배합한 중국과 그 외의 외래 디자인의 배합을 통해 성립했다는 역사적 경위를 갖는 것이다. 한편으로, 20세기 후반 이후에 저렴한 프린트 바틱의 유통과 소비가 세계적인 규모로 전개되자, 지금은 자바 바틱풍의 무늬가 중국의 무늬에 흡수되는 왕복현상이 새롭게 생겨나고 있다.

[4] 베트남 서북부 디엔비엔 성, 태국의 마을에서, 벼의 탈곡작업을 하는 10대 후반의 여성들. 두 사람이 입고 있는 스커트는 태국계 민족의 직물무늬를 모방한 프린트 천으로 제작되었다. (ⓒ 2002.10)

네팔에 전래된 프린트 바틱

미나미 마키토(국립민족학박물관 조교수)

오늘날, 네팔 북부에서 중서부에 걸친 산지에는 자바 바틱의 디자인을 본 딴 프린트 바틱의 통형 스커트를 입고 허리에 긴 천을 둘둘 말아서 띠처럼 한 여성을 자주 볼 수 있다. 이것은 마치 그들의 전통의상처럼 일상의 풍경에 스며들었다. 통형 스커트에 '띠'라는 스타일은 어떻든 간에, 프린트 바틱이 네팔에 등장한 것은 사실 그다지 오래되진 않았다. 다음에서 프린트 바틱이 네팔에 어떻게 전래되어 사용되었는지 마갈 사람들의 마을을 중심으로 살펴보자.

프린트 바틱과의 만남

가격이 저렴한 프린트 바틱을 대량생산하게 된 것은 1970년대 인도네시아에서 본격화되었다고 한다 [關本 2000: 271]. 필시 동일한 원단이 말레이시아와 태국 등에서 생산되던 때와 비슷한 시기였다고 볼 수 있다. 이러한 프린트 바틱이 남아시아의 내륙국 네팔에 유입된 것은 의외로 빨랐던 것 같다. 1979년에 네팔 동부에서 촬영한 사진에 이미 프린트 바틱으로 생각되는 원단을 착용한 여성이 찍혀있기 때문이다 [田村 1982]. 처음으로 네팔에 갔을

[1] 저지대 마을에 내려온 산지의 여성. 도시와 저지대에서는 프린트 바틱의 통형 스커트를 입은 여성이 적어서 자주 눈에 띈다. 네팔, 나왈빠라시 (ⓒ 2006)

[2] 저지대에서는 핫 바자르라는 정기적으로 열리는 시장이 자주 선다. 로프에 걸린 모습에서도 알 수 있듯이 다양한 프린트 바틱이 판매된다. 네팔, 나왈빠라시 (ⓒ 2006)

때가 1981년이었는데, 당시 촬영한 슬라이드를 찾아보면, 타지역의 산지 여성 사이에서도 프린트 바틱의 단을 누벼 통형으로 만든 스커트를 입고 있었음을 알 수 있다.

그러나 이러한 프린트 바틱이 모든 연령층의 산지여성에게 받아들여진 것은 아니다. 예를 들면, 네팔 서부, 나왈파라시의 마갈 사람의 산촌에서는 필자가 조사를 시작했던 1987년 무렵에 유행에 민감한 15-16세의 미혼여성이 벌써 프린트 바틱을 착용하고 있었다. 그 후로 약 20년이 흐른 지금, 그들은 결혼 후에도 약간 평범한 프린트 바틱을 계속 입었고, 그 유행이 그들보다 조금 위의 기혼

자(40대) 층까지 확산되었다. 이처럼 이곳에서는 지금, 약 50세를 경계로 프린트 바틱을 애용하는 젊은 층 및 중장년층과, 전통적인 통형 스커트를 입는 노년층의 여성으로 크게 구분된다.

원래, 지역특유의 전통적인 의상이 뿌리깊게 남아 있는 극서부의 여성과, 민족의상이 비교적 잘 유지되고 있는 타르와 네팔의 농민 카스트(쟈쁘), 셀파인 등 티벳계 여성 사이에는 바틱을 사용한 관습은 거의 없다. 바틱은 마갈인, 글룬(탐)인, 라이인, 림브인 등의 민족에게 널리 보급되었고, 바훈(브라만), 쳇트리(크샤트리아), 다마이(재봉사), 사

르키(가죽 세공사), 카미(대장장이) 등 카스트 그룹의 일부 여성이 애용했던 것 같다.

네팔, 프린트 바틱을 생각하다

산지에서 일상의 풍경처럼 된 프린트 바틱이지만, 여기에 관한 구체적인 연구는 별로 없다. 네팔의 염직물 연구자인 던스모어의 저서 『네팔의 직물』에서도 '바틱 프린팅'(이 책에서는 프린트 바틱)은 최근에 카투만두 분지로 도입되었지만, 여기서는 주로 관광객 대상의 아이템으로 유행했다고 할 수 있다 [Dunsmore 1993: 137]. 이 책에는 분명히 프린트 바틱을 착용한 라이 여성이 전통적인 직물을 짜고 있는 사진을 게재하고 있음에도 말이다. 그들은 또 림브인의 가족사진 해설에 '여성들은 스커트를 허리에 휘감아 입고(wraparound skirts), 가장 젊은 세대에서는 수입품을 애호하지만'이라고 적고, 프린트 바틱을 전통문화에 대한 불협화음인 듯이 묘사했다. 아무래도 직물 전문가에게는 프린트 바틱은 연구할 가치가 없다고 비춰졌던 것 같다.

이에 비하면, 네팔 연구를 하는 인류학자 햅번의 논문에서 보다 현실을 직시하고 있다. 그는 '고지를 제외한 네팔의 마을에서는 여성은 즐겨 룽기 혹은 살롱을 입는다. 그것은 통형으로 재봉한 천의 일정한 폭을 정교하게 접어 허리에 맞춘 것으로, 허리에서 발목까지를 우아하게 감싼다. 이 의복은 사리를 입는 여성에게 "뒤쳐진 것"이라 간주되지만, 농사를 짓는 사람들에겐 매우 실용적인 의복이다. 더구나 그 대부분은 자바 바틱 풍의 무늬로, 인도, 인도네시아, 태국, 나아가 브루나이에서 전해진 주목받는 의복이다.' [Hepbum 2000: 289]라고 기술했다. 햅번은 외국산의 룽기가 네팔에 도입된 기원에 대해서 다음과 같은 흥미로운 지적을 했다. 즉 '영국군 혹은 인도군의 구르카 연대에 근무하던 남성이 토산품으로 룽기를 가지고 집으로 돌아갔다. 그 룽기에는 군대에 근무하고 있다는 일종의 신분확인마저 부여되어 있었고, 이와 같은 의복의 상징은 신분의 표식이

되었다. 시간이 경과함에 따라, 룽기는 보다 널리 누구나가 구입할 수 있게 되어 의복의 규범이 되고, 대부분 손으로 짠 의복을 대신하여 기계로 만든 룽기로 대체되었다.

퍼져가는 프린트 바틱

해외에 주둔해 있던 그루카병사가 집에 가져온 무역품은 확실히 신분 상승의 효과를 얻기 쉬웠고 사람들의 호기심을 불러일으켰다. 1987년 무렵에 마갈 남성이라면 동전을 보관하는 폭이 넓은 면 벨트(군대용으로 녹색과 연두색이 있었음)를 착용했는데, 그들은 하의에 그런 벨트를 하는 것이 매우 고상한 취미라 생각했다. 필자가 조사한 마을에서는 그 벨트를 가진 사람이 한 사람도 없어서, 혹시 똑같은 벨트를 일본에서는 구할 수 없을지 찾아보기까지 했다.

원래 날염바틱과 블라우스에 마감 처리하는 벨벳 생지(네팔어로 마크말, 페르시아어에서 기원)도 이런 형태로 선행적으로 네팔에 소개되었다. 그리고 1970년대 후반에 저렴한 가격으로 대량생산을 한 프린트 바틱을 쉽게 구매할 수 있는 시대를 맞게 되어 폭발적으로 확산되었다고 생각한다. 이와 같이 생각해 보면 프린트 바틱이 그루카 병사를 많이 배출시켜 온 마갈, 그룬, 라이, 림프라는 민족의 여성에게 특히 수용되었다는 것을 쉽게 이해할 수 있다.

나와르파 마을에서 마갈인 여성의 전통적인 의상은 지금까지도 약 50세 이상의 여성이 사용하는 검은 무늬없는 무명천의 통형 스커트(마갈어로 그뉴)였다고 생각된다. 그러나 검은 무늬없는 천의 원단이 갑자기 화려한 프린트 바틱의 통형 스커트(네팔어 및 마갈어로 룽기 내지 도티)로 교체되었던 것은 아니다. 마갈인에게만 한정되지 않는 네팔 산지에 사는 젊은 여성들 사이에서는 적어도 1950년부터 이미 아마도 인도제품이라 여겨지는 가는 꽃무늬, 물방울, 격자무늬 등의 무늬가 달린 천의 착용이 널리 확산되었다. 프린트 바틱이 급속하게 확산된 배경에는 이러한 앞 단계의 화려한 천에 대한 강도 높은 욕구와 소비로의 자극, 기호의 변화, 사회적인 용인이 있었다고 본다.

앞서 소개한 '기계로 만든 룽기가 수작업으로 만든 의복을 대체했다'라는 헵번의 지적은 대체적으로 맞는 말이다. 그러나 그 과정은 꽤 많은 세월을 거쳐 서서히 진행되었다. 검은 바탕천을 포함한 면포는 지금은 모두 기성제품이지만, 1987년경까지는 조사한 마을에서 매우 적지만 목화를 재배하여 실을 뽑고 직조하는 광경을 볼 수 있었다. 마을에서 마지막까지(199년대 중반) 직조되던 천은 예전부터 증여품으로서 사회적으로 중요했던 남성용의 길이가 짧은 스커트(마갈어로 뽀르카)였다. 그렇지만 이것도 남성이 마을에서 반바지를 일상적으로 착용하더라도, 저지대의 마을로 내려갈 때는 긴바지를 입고 가는 일이 많아지자 더 이상 제조되지 않았다. 이렇게 본다면 늦어도 1950년대에는 기계로 만든 천이 보급되었지만, 그 후 10년간은 손으로 실을 뽑고 손으로 짠 천이 계속해서 제작되었음을 알 수 있다. 더구나 마지막까지 직조된 천은 일반사람의 예상과는 달리 남성용의 스커트였다.

다양한 프린트 바틱의 수용

현재 마을 여성이 구매하는 프린트 바틱에는 인도네시아 제품(레벨의 기재가 Batik Halus Mitra Agung [MA]: 약 350루피), 인도네시아 유사품(Batik Tiga Serangkai [TS]: 약 300-310루피, Batik Halus Outri Bali [Pekalongan], Batik Halus Mascot [MRS]), 인도 유사품(City), 중국 유사품(蝶棉商標 [Butterfly]: 약 120루피) 등이 있다. 인도네시아 유사품이라고 한 것은 Batik Tiga Serangkai, Made As Indonesia라고 한 태그가 붙어있기 때문이다. 이 천이 인도네시아 제품인지 아닌지는 잠시 접어두자. 다만, 프린트 바틱의 소비자는 누구라도 그다지 태그를 신경 쓰지 않았고, 메이드 인과 메이드 에즈의 차이가 문제로 된 적이 없다는 것을 강조해 둔다. 항구에는 천 이외에도 메이드 인 재팬이라는 약간 수상한 제품이 범람하고 있다.

가격에 대해서도 살펴보자. 앞서 기술한 것처럼, 인도네시아 제품과 인도네시아 제품과 유사한 프린트 바틱의 가격은 약 300-350루피(1루피에 약 2엔)이고, 질이 떨어지고 그다지 팔리지 않는 중국 유사품이 약 120루피이다. 네팔의 물가는 예를 들면 지방의 식당에서 한 끼 식사(육류 제외) 비용이 50-60루피이어서, 마을여성에게 프린트 바틱은 반드시 값이 싸다고는 할 수 없다. 그렇다고 해도 비상금을 만들어도 살 수 없을 정도의 가격 또한 아니다. 적당한 가격은 프린트 바틱이 이 정도로 보급된 원인의 하나이기도 한 것이다.

한편, 사리와 크르타 스르왈(판자비 드레스)을 입는, 도시에서 교육을 받은 여성들에게는 프린트 바틱은 더 이상 비교할 수 없을 만큼 저렴한 제품이다. 그렇지만 그녀들이 프린트 바틱을 구매하고 착용하는 것은 실내용이 아니다. 통형 스커트는 화려한 프린트 바틱으로 바뀐다고 해도 산지에서 땀 흘려 농사일을 하는 '근대화에서 멀어진' 여성이 입는 것이라는 이미지에서 벗어날 수 없는 것이다 [南 2005: 99].

2006년 2년 반 만에 다시 마을을 방문했는데 크르타 스르왈을 입은 여성이 보였다. 평상시는 아니라고 해도 결국 이 마을에도 통형 스커트가 아닌 도시에서 교육을 받은 여성을 상징하는 정장용 팬츠(스르와르)를 입은 여성이 탄생했다. 프린트 바틱이 그랬던 것처럼, 크르타 스르왈도 또한 거의 한 세대에 상당하는 약 20년의 세월을 거쳐 이 마을여성의 중요한 의복으로 받아들이게 된 것이다.

프린트 바틱은 도시의 여성에게는 시골여성이 입는 것이라 하여, 직물 전문가에게는 전통에 어긋나는 것으로 보지 않았고, 점차 산지에 사는 유행에 민감한 여성에게도 '유행에 뒤떨어진 것'으로 인식되기 시작했다. 그렇지만 프린트 바틱은 네팔의 산지여성에게 이제까지 없었던 화려한 색과 디자인을 즐기게 해주는 쾌락을 전파했다. 또 일본인에게는 이쪽이 보다 중요하다고 생각되지만, 프린트 바틱의 보급 과정은 '네팔의 마을은 50년 전부터 전혀 변하지 않았다'고 하는 경솔한 발언을 서슴지 않는 우리들에게 네팔의 마을도 넓은 세계와 연결되어, 나날이 변화되어 가는 것을 알 수 있는 절호의 재료를 제공하고 있다.

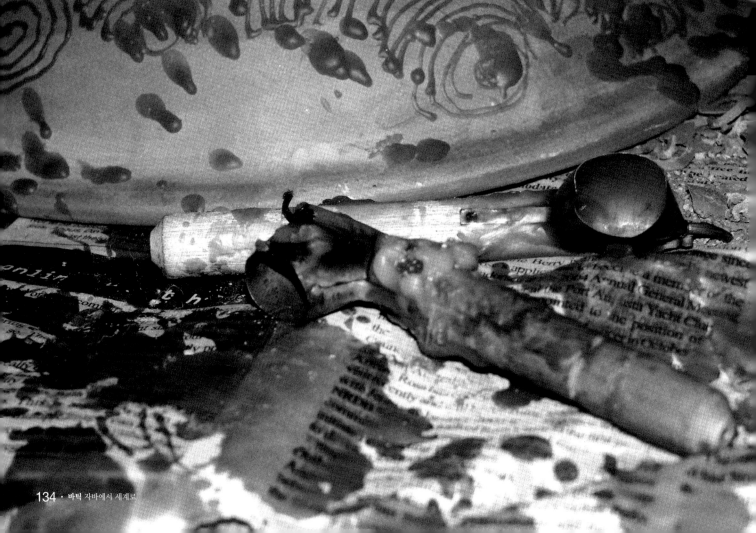

바틱 논단

[날염]

자바 바틱에 매료되어

이토 후사미(직물작가)

인도네시아로의 유학

자바 바틱과 만난 지 40년이 흘렀다. 개인전을 중심으로 작품을 계속해서 발표하고 있다. 다른 나라의 동식물이 독특한 배합으로 염색되어 나타나는 자바 바틱을 처음 본 순간, 강렬한 충격과 동시에 이 천을 만들고 싶다는 생각이 들었다. 정보도 전혀 없이 무작정 찾아가는 상태였는데, 자바에 가서 하나부터 찬찬히 만들어 보자라는 생각만으로 전념했다.

지금, 관광투어로 자까르따에 가보면 고층빌딩이 즐비하고 자동차가 넘친다. 이는 인도네시아가 우리들이 당면한 문제(교통 체증과 스모크 현상 등)처럼 근대국가로 급속하게 변모해 가고 있음을 말해 준다.

필자가 처음으로 인도네시아를 방문했을 때는 1973년 11월, 전통적인 자바 바틱 기술을 습득하기 위해, 중부자바의 고도, 족자까르따의 어느 예술대학에 유학했을 때였다. 당시의 장기유학 수속은 매우 번잡해서 시간이 무척 걸렸고, 수십 가지에 달하는 서류를 준비하는 등 출국하기까지 2년이 넘게 걸렸다. 처음 내린 자까르따의 공항은 어두운 데다가 인도네시아 특유의 향기가 강한 담배향이 주변을 감쌌고, 우리들의 짐을 들고 자신들의 차에 태우려는 기사들이 길게 늘어서 있었다. 그렇지만 아직 자동차는 적은 편이었고, 오래된 자동차가 나무들로 푸르른 마을을 지나, 베차(자전거 앞에 좌석을 마련한 이동수단-역주)와 오토바이크가 큰 위화감 없이 달리고 있었다.

그런 다음 한달 후에 다시 족자까르따에 가보니 시간이 훌쩍 뛰어넘은 것처럼 느껴졌다. 중요한 도로 이외는 비포장의 돌 뿐인 좁은 길로 등에 혹이 난 흰 소가 커다란 바퀴를 단 화려한 수레를 끌면서, 벽돌, 돌, 가루 등을 실고 목에 달린 종을 카랑카랑 울리면서 천천히 길을 걷고 있었다. 그런 동떨어진 곳에 유학할 대학이 있었다. 그러나 자바 바틱 수업은 바틱 페인팅이라는 추상적인 무늬를 짠띵(수작업으로 밀랍을 그리는 도구)으로 자유롭게 그림을 그려 염색을 할 뿐이었다. 이런 상황이라면 필자의 목적과는 큰 차이가 있었기 때문에 전통 자바 바틱 제작의 본고장인 족자까르따와 동시에 고도로 알려진 솔로(스라카르타)에서 수작업으로 식물염료를 사용하고, 바틱을 제작하는 공방을 찾아서 그곳에 거주하면서 배울 생각으로 이주하였다.

솔로의 바틱 장인

솔로에는 라위얀, 시고사렌, 쿠라트난, 카우만이란 지구에 공방이 몰려있었다. 특히 라위얀 지구에는 바틱 장인

[1] 수작업 한 장식 천(수작업 비단). 이토 후사미 작품.

[2] 수작업 오비(띠). 이토 후사미 작품.

이라 불리는 사람들이 거처하는 곳이 있는데, 높고 흰 담이 둘러쳐진 수천평의 대지에 앞쪽에는 스텐드 글라스로 구성된 테라스가 있는 저택이 있고 그 뒤로 작업장이 있었다. 라위얀 사람들은 매우 보수적이고 폐쇄적으로 혈연의 끈이 매우 강했다. 친족과 동업자와의 결혼이 성행하여 복잡한 가계를 이루고 있었다. 자바 바틱은 인도네시아계 주민이 성공시킨 매우 드문 상업생산품으로, 20세기 초에는 판매처가 인도네시아 국내는 물론이고, 유럽, 아시아로 확산되어 라위얀의 부유층은 자신이 소유하는 선박으로 외국과의 교역도 하고 있었다. 생활용품에는 유럽에서 들여온 가구, 유리그릇, 도기, 타일 등이 많았고, 이를 소유하는 것이 곧 신분상승을 의미하는 것이었다. 그리고 인도네시아의 독립운동 때에는 대량의 자금이 솔로의 자바 바틱 공장주로부터 기부금을 받았다. 이는 그 중에서 가장 높다는 공방대표의 장례식에 스카르노 대통령이 일부러 참석했다는 점을 통해서도 잘 알 수 있다.

원래 자바 바틱은 17세기경부터 궁정의 왕족이나 귀족 밑에서 제작되었다고 한다. 그것이 주변지역으로 확산되어 19세기에 상업생산품으로 되자, 수작업보다 저렴하고 짧은 기간에 대량 생산이 가능한 짭(솔로의 프린트용 스탬프)을 이용한 생산이 성행하였다. 19세기 후반에는 보다 넓은 대지를 확보하기 위한 바틱의 신흥생산지로서 라위얀에 공방이 모여들었다. 이 솔로 자바 바틱의 성행기는 1920-30년대와 1950-60년대였다. 공방대표는 짭을 이용한 저가의 자바 바틱을 대량으로 생산하고, 자신의 가족을 위해서는 섬세하고 멋진 수제품의 바틱을 쉴 새 없이 제작하였다. 이렇게 만들어진 제품은 판매 루트에서 취급되는 일은 매우 적었으며, 특별주문품으로 혼례용이나 재산품목으로 계승되어 갔다.

쇠퇴해 가는 솔로의 바틱 공방

솔로의 자바 바틱의 색은 소가(탄닌을 함유한 염료)에서 다갈색, 인디고퓨어(合成藍)에서 짙은 감색의 두 가지 색을 섞어 완성되기 때문에 언뜻 보기에 어두운 인상을 준다. 또 공간을 그다지 두지 않고 세부까지 이센이라 부르는 세밀한 무늬로 가득 채우게 된다. 그 때문에 전통무늬는 수가 매우 적고, 그 종류도 미묘하게 서로 다른 것 같지만 동일한 느낌을 준다. 따라서 전통의상을 착용하는 것이 매우 적었던 1970년대부터는 급속히 수요가 감소했다. 정장용으로 북쪽 연안계 바틱과 같은 선명한 천이 차지하는 비율이 점점 증가했다. 이들은 바틱 크리스, 바틱 스마일, 바틱 다날 바티라는 수백인 규모의 공장에서 스크린프린트와 롤러프린트를 사용한 직접날염의 바틱과 짭을 사용한 자바 바틱을 일관성 있게 그리고 효율적으로 생산했다. 기존의 자바 바틱을 생산하던 50-100명 전후의 공장은 가격과 무늬의 변화에 따라가지 못해 하청작업을 하던지, 새로운 무늬와 색, 그리고 용도를 고려하면서 제작하였다.

필자가 체재하고 있던 1974-80년은 바로 그 시기로, 수작업의 소가염료를 사용한 고급 전통의상용 바틱, 정장용의 선명한 짭, 그리고 밀랍을 그려 넣기 위한 모든 기법을 구사하여 레이온, 견, 면 소재의 자바 바틱을 제작하고 있었다. 그리고 각각의 공장은 살아남기 위해 필사적으로 시장을 찾고 있었다. 라위얀에 스크린 스탬프를 갖추게 된 이 시기에, 짭 직인은 해고되었고, 기술이 뛰어난 직인들은 공장을 이전하게 되었지만, 그 외의 사람들은 어떻게 할 것인지 자주 화제에 올랐다. 이 시기의 프린트는 겉에만 무늬가 염색되는 형태로 가격이 저렴한데다가 빨리 제작할 수 있어서 판매처에서도 매우 만족하였고 높은 이익을 올렸다고 한다. 그러자 급속히 추락하는 공장이 늘어났고, 대부분의 공장이 원래의 바틱에서 스크린프린트로 교체되었고, 결국 붕괴되어 파산하는 공장이 속출하였다.

매력적인 자바 바틱의 제작을 바라면서

20세기 초에 상업생산품으로 자바 바틱 공장을 일으키고 재산을 모은 사람들은 그 노하우를 자식들에게 전수하

[3] 염색한 후, 마당에서 말리는 오비(띠).
이토 후사미 작품.

[4] 수작업 셔츠(면). 이토 후사미 작품.

[5] 수작업 스카프(수작업 비단).
이토 후사미 작품.

지 않고, 의사나 엔지니어 계통의 고학력의 직장을 선호하였다. 이와 같은 점은 바틱 공장이 세대를 초월하여 성공하지 못한 원인 중의 하나였으며, 또 새로운 공장을 일으킨다고 해도 기술이 있는 직인을 그대로 받아들여 자바 바틱을 손쉽게 제작하는 요인이기도 했다. 근년에는 전통산업이 다시 수정되어 자바 바틱을 상품화하여 세계시장으로 내보내려는 사람들도 등장했다. 그렇지만, 그런 경우는 원래의 자바 바틱이 지닌 색과 기법, 그리고 무늬를 통한 지역성을 고려하지 않고, 판매만을 중시하여 제작하는 일이 많아졌다. 특히 프린트 기술의 발전에 따라, 스크린 바틱은 시간을 들여 제작한 고급 수작업 자바 바틱과의 구별도 곤란할 정도이다. 이들 프린트 바틱은 그 가격이 고급 수작업과 비교해서 수십 배가 될 정도로 저렴하기 때문에, 지금은 자바 바틱 상품을 대신하고 있다.

전통은 그 시대의 수요에 따라 변화하기 마련이지만, 양성된 기술의 지역성을 잘 살리면서 발전시키는 점도 매우 중요하다. 그렇기 때문에 단순히 전통을 그대로 보존하려는 수법만으로는, 가격 면에서 자바 바틱은 현재의 생활과는 완전히 동떨어진 존재로 되어버리고, 일반인들이 필요로 하지 않는 '과거의 기억'이 되고 말 것이다. 전통이란 기나긴 세월을 통해 많은 사람들에게 필요하고 친숙한 것이야말로 '전통'이라 부를 수 있는 것으로, 일반인을 항상 매료시킬 수 있는 점이야말로 참모습이라 할 수 있지 않을까.

필자가 자바로 건너가 자바에서 제작한 것은, 자바 바틱 제작이 밀랍을 다루는 습도부터 시작해서 자바의 풍토와 밀접한 관계가 있기 때문이다. 물론 일본에서 제작도 했지만, 역시 자바 바틱의 본질이 빠져있음을 느낀다. 그 자바의 향기에 자신이 가진 일본적 감각이 자연스럽게 용해되고 혼합되어 간다. 예전에는 오로지 자기가 만들어냈다는 데에 의의를 두면서 제작했지만, 점차 밀랍을 그리는 직인들의 몸에 익숙해져 자연스럽게 그려지는 무늬의 정교함과 속도감으로 전개했다. 그리고 그 중에서 필자가 그린 선대로 밀랍을 그리는 사람이 나타났다. 덕분에 필자의 손이 되어 주는 사람들의 도움을 받아 밀랍그리기 만으로 수개월 걸리는 기모노와 오비(띠)의 제작도 마무리될 것 같다. 지금은, 자바를 왕래하면서 생활 속에 젖어들어 사용되는 천을 목표로 삼아 오리지널 수작업 천에 '짬'과 직접 그리기의 코디네이션, 나아가 프린트와의 조합을 한 작품도 제작하고 있다.

호주 원주민의 날염

코야마 슈죠(국립민족학박물관 명예교수, 스이타시립박물관 관장)

날염이 들어간 토기?

'날염 즉, 바틱 기법을 토기의 도안에 사용하다!' 자바 바틱의 현대적 전개에 초점을 맞춰 특별전을 위해 여러 지역을 조사해 온 요시모토 시노부 교수가 상기된 표정으로 언급했다. 호주 원주민 바틱의 중심지인 아나벨라의 조사보고회 때의 일이다.

원래 호주 원주민과 바틱은 전혀 상관이 없다. 이동을 주로 하는 수렵채집민이어서 물질문화는 간소했으며, 천도 없었고, 공구류와 밀랍, 염료 등의 소재를 복합적으로 사용한 일도 없다. 게다가 식물을 전혀 볼 수 없는 사막의 경관, 기후·풍토에서 생각하더라도 요시모토 교수의 경험에서 오는 감촉과도 위화감이 있는 점을 느꼈다. '이 극단적인 사례야말로, 바틱의 본질을 이어가고 있는 것은 아닐까'란 감상은 그대로 현대 호주 원주민 예술의 특징에도 적용할 수 있을 것이다.

[1] 초벌구이 한 토기에 찐띵을 사용하여 밀랍을 그리는 여성. 호주, 아나벨라
(ⓒ 요시모토 시노부 2006)

현대 호주 원주민의 예술 — 성립까지의 역사

현대 호주의 예술 중에서 원주민 예술은 엄청난 위치를 차지하게 되었다. 영국의 식민지에서 성장한 젊은 국가에서는 미술도 그 아류에서 벗어나기 어렵지만, 생활에 충실하고, 국민으로서의 정체성을 찾기 시작할 때, 대지에서 태어난 호주 원주민의 예술이야말로, 매우 적절한 표상이란 점을 자각했을 것이다.

민족자료, 원시미술

호주대륙의 선주민 예술의 개성적이고 풍부한 표현과 사상은 원래 벽화나 제사도구가 중심이었던 점에서도 알 수 있듯이, 자신들의 사회에서만 의미를 갖는 것이었다. 그러나 지금은 외부세계에서 인정하듯이 시장의 상품으로서 유통되었다. 그 과정은 크게 보아 세 단계로 구분될 수 있다. 호주 원주민의 작품은 민족자료로서, 개인컬렉션과 박물관에서의 수요가 있었다. 그런데 19세기말의 유럽에서 원시미술이 기존의 회화와 조각의 틀을 깨부수는 것으로 (피카소의 작품이 대표적인 예이듯이) 주목받게 되어, 미술과 골동시장이 형성되었다. 그러나 이 단계에서는 호주 원주민 쪽에서 본다면 자발적인 시장을 위한 창작활동이 일어나지는 못했다.

미션시대의 미술공예

영국의 식민지 시대에 근대문명사회와 충돌한 호주 원주민 사회는 엄청난 속도로 분해되어 갔다. 원래 30만 명 이상이었다고 추정되던 인구가 1921년에는 6만명으로 격감했고, 이들이 전멸할 것이라는 추정도 당연하게 여길 정도였다. 이것을 막기 위해 큰 역할을 담당한 것이 기독교 신자들이었다. 사회문화가 비교적 잘 남아 있던 북부 해안의 아넴랜드(Arnhem Land)와 중앙사막(기상조건이 너무 열악해서 피하라고 할 정도의) 지역을 보호하기 위한 대보호지역의 설립을 정부에 요청하였고 결국 성공하였다. 기독교의 각 교단은 경쟁하듯이 보호구역내에 미션타운을 건립하고 기독교의 교리를 통해 이들을 동화시키려 했고, 그

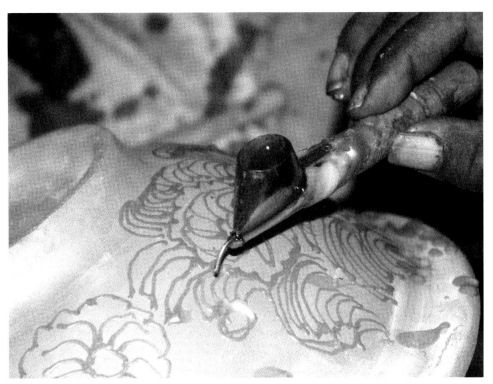

[2] 짠띵을 이용한 밀랍그리기. 호주 아나벨라 (ⓒ 요시모토 시노부 2006)

새로운 장식예술 — 중앙사막에서의 성과

호주 원주민 사회의 새롭게 정비된 정책은 우여곡절을 겪은 뒤, 1970년대 중반부터 드디어 본 궤도에 올랐다. 미술과 공예의 진흥이라는 시점에서 본다면, 이전 단계와 큰 차이는 없다. 주요 정착지(대부분 원래의 미션타운)에 미술공예센터를 세우고, 지도자로 백인 매니저를 두고 조직화하는 것으로 작품의 질과 가격의 향상, 그리고 신제품을 창출하려고 했다. 차이점이라고 한다면, 정부 프로젝트여서 자금이 풍부하고, 다양한 프로그램이 있다는 정도였다. 이를 통해 도기, 유리, 아크릴, 실크스크린, 그리고 바틱이라는 기존의 자급자족적인 견해에서는 결코 나올 수 없었던 다양한 소재와 수법이 적극적으로 양산된 것이다.

이와 같은 움직임 속에서 아주 큰 은혜를 입은 것은 소재가 적은 사막지방이었다. 예를 들면, 제례 때에 모래 위에 거대한 그림을 그렸지만, 사용한 뒤에는 그대로 없애버리는 것이 대부분이었다. 그러나 소재를 아크릴과 캠퍼스로 대체한 뒤로는 '가볍고, 사용하기 쉽고, 확실하게 보존할 수 있다'는 현대시장의 요구에 적합한 작품을 만들어내는 데 성공한 것이다. 파프니아 파(派)의 모래그림 또는 점묘화가 그 대표적인 예로서, 아넴랜드에서 제작된 작품이 나무가죽 그림과 나무 조각이라는 자연소재를 중심으로 하는 것과는 대조적이다.

런 의미에서 사회의 자립과 재생을 시도했다. 이 시기에 거론된 육성프로그램의 하나가 미술과 공예품(관광 상품을 포함한)의 제작이었다.

국민투표가 가져다 준 것

최후의 대반전은 1967년의 국민투표였다. 이를 통해 비로소 원주민은 호주 국민으로서 인정받게 되었고, 호주정부는 국민에게 최저한도의 생활을 보장할 책임을 다하기 위해서 보호민으로 방치되었던 사회에 많은 예산을 책정했다. 호주정부에서 처음에 생각했던 것은 농업, 목축 등의 제1차 산업을 보급하려는 것이었다. 그런데 수렵인이었던 이들은 그것을 받아들이지 못하고, 결국 미술과 공예라는 제3차 산업만 남게 되었다. 기존의 생활 형태를 크게 바꾸지 않는 범위에서 새로운 시대의 화폐경제에 적응할 수 있는 수단이었기 때문이다. 말하자면, 예술입국 이후, 호주 원주민 사회의 주간산업으로서 양성된 것이다.

대형 프로젝트 대 개인 — 힐리아드의 이력서

어떤 대형 프로젝트라도 그 바탕에 개인의 노력과 재능

이 없다면 성과를 올릴 수 없다
는 것을 우리는 경험을 통해 잘
알고 있다. 새삼스럽게 그와 같
은 점을 느낀 것은 아나벨라 공
방의 힐리아드(W. Hiliard)와의
만남을 통해서였다. 꽃처럼, 또
는 동물의 내장처럼 보이는 불가
사의한 아나벨라 디자인은 힐리
아드의 소양과 재능을 통해 생명
을 불어넣은 듯하다.

힐리아드는 제2차 세계대전
이 시작되기 이전의 옛날의 평
화로운 시대에 멜버른의 중류
가정에서 자라난 기독교인이었

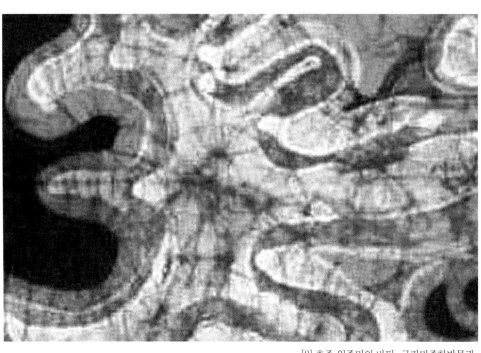

[3] 호주 원주민의 바틱. 국립민족학박물관.

다. 그녀는 외국에서 학대받는 민족을 위해 일하고 싶
다는 소망을 가지고 전도사육성학교에서 미술공예 교
육을 받았다. 그런데 1954년에 공예지도자의 길을 걷지
않겠느냐는 권유를 받게 된다. 부임지였던 아나벨라는
1937년에 건립된 장로회 교회의 미션 타운이자, 호주
관광의 중심지였던 에어즈록에서 직선거리로 150킬로
미터 떨어진 장소였다. 적갈색으로 바래진 마스그레이
브 산맥의 녹음에 그저 묵묵히 서 있는 아름다운 오아
시스 마을을 보고 첫눈에 매료되었던 것 같다. 1986년
에 은퇴하여 지금은 시드니 교외에 살고 있는데, 지금
도 저작활동과 사람들과의 교제를 통해 아나벨라의 지
원을 계속하고 있다.

발견과 육성

아나벨라 디자인은 1940년경, 아주 작은 거라도 좋으니
한번 그려보라는 초등학교 교사의 말에 아이들이 쓱쓱 그
린 그림을 보고 느낀 점이 발견의 계기가 되었다고 한다.
그렇게 보면 지금도 어린이가 혼자서 놀면서 땅에 그림을
그린다든지, 벽에 낙서를 하는 것을 자주 볼 수 있다. 힐리

아드 여사는 이 무늬를 개발하여 아나벨라의 상징으로 만
들려고 생각했다. 처음에는 아나벨라 공장에서 만든 모카
가죽의 한 포인트가 되는 자수, 그리고 새해카드와 연관이
있었지만, 직인들이 재능을 펼치기가 어려운 직물과 벽걸
이 등 대형의 고급품에도 응용하였다. 색채가 추가되어 세
련되고 다양한 디자인이 개발되었다.

1970년대가 되자, 날염기술은 정부가 파견한 기술지
도자가 계승하게 되었다. 바탕무늬가 드러날 정도로 아
로새겨진 아나벨라 디자인은 원래의 날염 이미지와도 잘
어울렸으며, 호주 원주민이 제작한 참신한 작품이라는
평가를 받았다.

여성들의 세계를 지키다

남성 중심의 사회에서 약자의 입장을 지닌 여성에게 경
제력을 갖추게 하자, 그것이 힐리아드 여사의 비장한 소
원이었다. 남성들이 그린 모래그림과 벽화는 의례와 강
하게 관계되어 있고, 대부분 신화를 표현하고 있다고 한
다. 당연히 그런 작품들에는 부족과 씨족의 비밀이 감춰
져 있기 때문에, 현대미술로 이행하기에는 커다란 문제

점이 발생한다. 그와 같은 행보는 당연히 날염 디자인에도 영향을 끼쳤지만, 힐리아드 여사는 이것은 전혀 비밀이 아닌 여성들의 자유로운 낙서라는 점을 크게 강조함으로써 회피했다.

공방에서는 (작은 마을이더라도) 대형의 설비투자를 해서라도 날염을 제작할 공간을 만들어 장인을 조직했다. 우수한 예술가를 선정하여 본고장인 인도네시아로 연수를 보내고, 그 후에는 전람회를 기획하여 세계로 뻗어갈 수 있도록 지원했다. 이렇게 하여 기술을 연마하고, 견문을 넓혀 자신감을 갖춘 여성들의 세계를 확립한 것이다.

전통은 살아남을까?

유토피아 바틱

아나벨라의 여성들은 이제 인근 마을에 날염기술을 확산한다는 매우 중요한 역할을 담당하게 되었다. 그러나 그 과정에서(특히 퇴직한 뒤의 1986년부터) 힐리아드 여사의 '백인적인' 속박이 풀려 원주민적인 성격이 표면화되었다.

유토피아 바틱은 1980년대 말에 주목을 받은 하나의 파(派)였다. 바틱을 사용하지만, 액션 페인팅 풍으로 표현되어 바틱 본래의 이미지와는 동떨어진 것이었다. 밀랍을 그리는 도구인 짠띵을 섬세하게 사용하기 보다는 붓을 사용하여 물보라와 붓의 터치를 자주 사용하는 편이 야성적인 이미지를 만들어낼 수 있다. 그 뒤로 유토피아 파는 바틱을 중단하고 아크릴과 유채 쪽으로 완전히 전환하였다.

공예에서 현대미술로

또 하나의 이유로 노동시간과 상품가치라는 효율의 문제이다. 날염제작에는 대형장비의 설치와 유지가 필요하다. 또 작업이 길고, 그 과정도 매우 까다롭다.

유토피아 파의 경우, 날염이 '공예'라는 영역에서 일탈하여 비실용적인 '현대예술'로 변화한 점을 주목해야 할 것이다. 공예와 달리 예술은 작가개인의 독창성에 초점을 맞추며, 유사한 작품은 아류로 취급해 버림으로서 시장가치가 낮아진다. 이것은 집단이 지식과 기술을 공유한다는 원주민 회사의 특성을 잃는 것으로, 원주민 회사의 경제적 자립을 지원하는 정부의 방침에도 어긋나는 것이다.

살아남은 전통

최근 호주 원주민의 날염이 화제로 오른 적이 없어서 혹시 분야에서 사라진 것은 아닐지 염려스럽다. 요시모토 교수가 호주조사를 위한 기초조사를 하고 있던 중에 아나벨라의 이름이 나와서 안심했고, 지금도 공동체가 힘을 들여 지원하고 있다는 것을 알게 되었다.

요시모토 교수가 그곳을 찾아갔을 때, 기술 지도를 위해 긴 여정을 마치고 금방 돌아온 그룹의 한 사람이, 앞에서 기술한 토기장식을 시연해 주었다고 한다. 개인화가 진행된 '현대미술 중에서' 전통 날염기법을 어떻게 살릴 수 있을까를 진정으로 모색하고 있음을 알 수 있었다. 토기장식이 정착하기 위해서는 유약을 칠하는 방법과, 발색 등에 대해 더 많은 노력이 필요할 것이다. 그래도 그들은 이 땅에서 길러낸 기술을 완전히 몸에 익혀서 자랑스럽게 여기고 있다. 그렇기 때문에 반드시 새로운 전개를 보여줄 것이다.

전개하는 기술

1983년에 그녀가 일본에 도착했을 때의 에피소드가 생각난다. 교토의 '쥬라쿠 갤러리'에서 개최된 날염 전람회는 해외진출을 위한 첫 시도였다. 참신한 디자인은 호평을 불러일으켰고, 일본전통의상인 기모노에 사용할 수 없는지, 시트와 커튼에는 어떨까 등 여러 가지 이야기가 나왔다. 어떤 관계자는 모든 작품을 대상으로 디자인 점유권을 갖고 싶다는 제안까지 했다. 만약 그런 제안을 받아들였다면, 호주 원주민의 날염은 지금과는 전혀 다른 전개를 보였을지도 모른다. 현재, 넓은 의미의 날염이 그런 것처럼, 그들의 작품은 대량생산의 프린트 바틱으로서 세계를 석권했을지도 모른다고 상상해 본다.

카리브해 지역의 날염

에구치 노부키요(리쓰메이칸대학 문학부 교수)

글로벌한 움직임

지금의 카리브 해 지역은 자연환경을 제외한 대부분의 것이 외부에서 들여온 요소로 구성되어 있다. 1492년의 콜럼버스 일행이 이 지역에 도착한 후로, 선주민 인구는 격감하는 한편, 유럽과 아프리카에서 새로운 대량의 인구와 문화가 들어와 유럽인이 경영하는 농장시스템 아래에서 동남아시아가 원산지인 사탕수수 재배가 계속되었다.

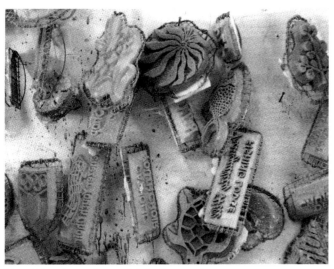

[1] 스펀지로 만든 스탬프들. 바하마, 안드로스 섬
(ⓒ요시모토 시노부 2006)

[2] 나비와 꽃무늬가 들어간 완성품. 바하마 안드로스 섬

열대아시아 원산의 타로 감자와 얌 감자를 식재료로 삼았는데, 노예들이 수확한 사탕수수가 조당, 당밀, 그리고 럼주로 가공되어 유럽으로 수출되었고, 그 부에 의해 산업혁명의 기초가 구축되었다. 19-20세기에는 바닐라, 시나몬, 커피, 바나나 등의 환금작물도 외부에서 들여와 카리브 해 지역에서 생산되었고, 유럽을 중심으로 수출되었다. 또 19세기 노예제도의 폐지와 함께 중국인, 인도인, 자바인, 시리아인, 유다인, 포르투갈인 등의 새로운 민족 집단이 이 지역으로 유입되어 지금에 이른다. 15세기 이후, 이 지역을 중심으로 글로벌한 움직임이 현저하게 나타나기 시작한 것이다.

아프리카 요소의 변용과 잔존

이와 같은 다민족적 상황 속에서도 이 지역의 다수파는 아프리카 흑인계 사람들이었다. 20세기 중반에는 아프리카 인류학자인 Melville Herskovits는 이 지역 19군데의 아프리카 흑인계 사람들로 구성된 사회를 조사하여, 아프리카적 색채가 생활의 어떤 측면에서 어느 정도, 어떠한 형태로 남아 있는지를 밝혀냈다. 특히 아프리카적인 특색

[3] 물고기 무늬가 들어간 완성품. 바하마, 안드로스 섬
(ⓒ요시모토 시노부 2006)

이 강하게 남아 있는 것은 종교, 주술, 설화나 신화, 음악이었다. 그러나 공예품의 디자인 등에는 아프리카적인 흔적은 찾아볼 수 없어서 전혀 없다는 결론을 제시했다. 이 점은 지금의 카리브 해 사회에는 말하자면 전통적으로 아프리카적인 디자인이나 그것을 근거로 지탱하고 있지만 사상 등을 볼 수 없다는 점을 시사하고 있다. 있다고 하더라도 필시 그것은 아프리카에서 새롭게 들어온 것이던지, 창조된 것이라 볼 수 있다.

날염

이 지역에서 날염이 제작되던 때는 제2차 세계대전 끝난 지 얼마 되지 않던 시점이다. 백인이 자본과 기술을 제공하고, 동남아시아 원산의 환금작물을 아프리카의 노예를 시켜 재배하고, 유럽시장에서 판매했던 노예제 시대처럼, 근년의 날염도 마찬가지였다. 세인트키츠와 세인트루시아, 바하마의 안드로스에서 제작되던 날염은 모두 백인이 경영하고 있었다. 세인트키츠와 세인트루시아의 경우에는 영국인이었고, 안드로스의 경우에는 노르웨이 여성이 시작하였는데, 원래는 캐나다 국적으로 지금은 바하마 출신인 아들이 계승하고 있다.

날염의 기술에 관해서는 세인트루시아와 세인트키츠의 공장의 창시자들은 인도네시아의 자바를 방문하여, 현지의 바틱 공장을 견학하였다. 밀랍을 천에 떨어뜨리는 도구, '짭'도 현지에서 조달하였고, 그것을 지금껏 사용하고 있다. 밀랍과 합성염료는 인도네시아에서 수입한 것이 아니다. 다른 지역인 안드로스 섬의 경우에도 시행착오를 겹쳐, 독자적

으로 날염을 완성한 것이다. 나중에 인도네시아 발리의 바틱 공장을 찾아갔지만, 배울 것이 없다는 이유로 되돌아온 적도 있다. 인도네시아에서 가져온 도구인 '짠 띵'도 사용한 적은 있지만, 독자적으로 개발한 스펀지 스탬프를 사용하여 날염의 바틱을 제작하였다. 밀랍과 합성염료는 미국에서, 천은 중국에서 수입하였다.

날염 디자인

날염 디자인은 모두 심플하고 외부인이 보아 카리브 해를 연상시키는 것으로 고안되었다. 안드로스 섬의 것

[4] 스펀지로 만든 스탬프. 바하마. 안드로스 섬 (ⓒ요시모토 시노부 2006)

은 바하마제도 주변의 자연 상태의 동식물을 주된 재료로 삼았다. 거북, 꽃, 물고기, 조개 등을 주로 대상으로 삼았고, 밝은 색을 중심으로 디자인했다. 반면에, 세인트루시아와 세인트키츠의 것은 자연을 대상으로 하고 있지만, 현지의 아프리카 흑인계 주민의 문화경관, 예를 들면, 당나귀의 마차에 사탕수수를 싣고 끌고 가는 사람, 작은 목조 가옥, 노점에서 과일을 파는 여성 등, '내셔널지오그래픽' 잡지와 같은 아프리카의 중산계급을 대상으로 한 잡지에 게재되던, 예부터 이 지역의 관광용 광고에 백인이 즐겨 사용해 온 종류의 디자인이 지금까지고 사용되고 있다.

남미대륙 북단의 스리남과 가이아나 내륙에서 생활하던 아프리카에서 옮겨온 노예가 집단으로 탈주하여 형성된 공동체에서 지금까지 전해오고 있는 흥미로운 디자인이 있다. 여기에는 다산을 상징하는 아프리카다운 모습을 충분히 느낄 수 있다. 그러나 전통에서 분단된 도서부의 아프리카 흑인계통의 주민 사회에서 생산된 날염에는 말하자면 신화나 사상 등을 상징할만한 디자인은 없다.

다시 전개되는 글로벌화의 파도

세인트루시아와 세인트키츠에서 생산 코스트를 받아 근년에는 일반적으로 바틱 페인팅이라 불리는 벽걸이용 바틱이 많이 생산되었는데, 태국 치앙마이의 업자에게 하청을 주어 생산하였다. 그러나 의료소재인 바틱은 모두 세인트루시아산이다. 정보기술의 발전에 동반하여 안드로스 섬, 세인트루

시아, 그리고 세인트키츠의 바틱 공장이 웹사이트에 홈페이지를 개설하여, 생산공정을 알기 쉽게 설명하는 등 어느 곳에서 오는 주문도 가능하게 된 것이다. 지금은 세계로 뻗어가는 날염이 된 것이다.

관광 입국화와 날염

바틱은 주로 유럽관광객들이 매입하고 있다. 세인트키츠와 세인트루시아의 경우에도 관광객을 받아들여 판매하고 있다. 그리고 날염의 제조공정도 개방하고 있다. 이 두 곳의 경우, 약 1세기 전의 식민지시대의 백인의 저택을 공장 겸 매장으로 사용하였고, 1990년대에는 가벼운 식사 등도 겸하게 되었다. 안드로스 섬의 경우, 공장견학도 가능했고, 또 공장에 부속된 매장에서 날염제품을 매입할 수도 있었다. 바틱 공장은 이들 섬의 관광 명소와 연계되어 있다. 하얀 모래를 동반한 바다와 원생림이 우거진 산, 그리고 식민지 시대의 요새와 농장경영자의 대저택에 추가하여, 날염공장도 그 제조공

[5] 태국에서 제작된 프린트 제품. 세인트루시아

[6] 밀랍그리기. 세인트루시아

[7] 당나귀가 끄는 수레로 물건을 실어 나르는 상인

정은 유럽 관광객에게는 신선한 관광명소가 되는 것이다. 이렇다 할 공예라고 할 만한 것이 이 지역에 존재하지 않았기 때문에 지금은 중요한 '관광문화'의 역할도 담당하고 있다.

그렇지만, 이 지역의 날염은 유럽관광객이 자주 머무는 호텔과 리조트처럼 고가의 것인 만큼, 현지인의 생활에 녹아있다고는 말하기 어렵다. 대다수의 현지인은 프린트 천을 사용한 의복과 티셔츠를 즐겨 입는다. 본격적으로 제작된 날염은 유럽 관광객들조차 고가로 인식하고 있다. 때문에 프린트 상품이나 태국에서 생산한 것으로 이행시켜 가격상승을 막으려는 노력이 필요했다. 다만, 안드로스 섬의 경우, 바하마 국내의 레스토랑 등의 주문에 응해서 날염 테이블보를 제작한다거나, 학생들의 교복으로 날염티셔츠를 제작하기도 한다. 이런 의미에서는 현지인의 생활에 서서히 침투해 가고 있다고 볼 수 있다.

바틱 논단

[모방과 창조]

키치(kitsch) 디자인을 생각하다

오노기 히로토(도쿄조형예술대학 예술학부 교수)

이 세상에는 여러 가지 피부색을 가진 사람들이 존재한다. 인류는 유전자라는 운명과 함께, 기후풍토의 적응과 생활양식의 차이, 교류사 등이 복잡하게 얽혀진 다양성을 품어 왔다. 백인, 흑인, 황색인이라는 단순한 차원의 말이 아닌 것이다. 다양한 인종 중에서 친한 사람을 만들고, 피부색이나 언어, 문화나 종교의 차이점을 바탕으로 국가와 문화권을 만들어 왔다. 그것은 개인에게 개성과 가치관이 있는 것처럼, 동일한 공통점을 가진 사람들이 살아가는 데

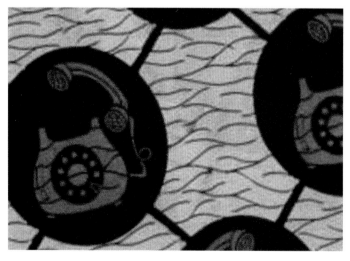

에 필요한 일이었다. 문화와 예술은 그러한 소용돌이치는 환경에서 다양한 가치관과 미적의식을 키워왔다.

직물의 세계에서도 분명한 차이를 밝혀낼 수 있다. 특히 기후풍토와 생활상으로 기능성의 차이는 명확하다. 온도

와 습도, 농경, 수렵, 소재의 자급 등은 애호를 넘은 필수 조건이었다. 그 한정된 조건 속에서 묘안을 짜내고, 보다 좋은 것을 만들어내려는 향상심의 결과를 우리들은 예술, 또는 디자인이라고 부른다. '옷'의 세계에서는 이것을 패션 디자인이라고 즐겨 부른다. 여기서는 예술과 디자인 자체를 논하기보다는, 훌륭한 상품을 만들어내기 위한 바탕으로서의 직물을 다뤄보고자 한다.

패션은 인간이 생활하는 데에 피부와 가장 근접한 예술

이다. 가깝다고 하는 의미에는 옛날부터 존재하는 문신이 가장 피부에 가까운 예술이지만, 그것은 별개로 하고, 옷이 피부와 가장 관계가 있는 '물건 만들기'란 점은 사실이다. 패션과 옷은 일반적으로 동의어로서 그 쓰임새가 약간 애매하지만, 기본적으로 여기서는 패션이란 '개념'이며, 직물과 옷은 '물건'으로 다루고자 한다.

여기서 다루는 옷, 즉, 직물은 자바에서 발생한 바틱이라는 천이 세계각지에서 디자인의 전개를 보이면서, 다양한 사람과 문화와 혼합하고, 제작되고, 사용되면서 변화한 것을 한 축으로 삼고 있다. 여기서 일어나는 디자인의 흥미롭고 본질적인 전개가 주제이다. 천과 옷의 기능과 동시에 패션성을 가미하여, 모든 사람의 요구에 대답해 온 과정에는 싫증나지 않는 욕망과 동시에, 즐거움과 기쁨이 들어있

다. 그 곳에는 자신의 피부색과 생활환경과의 관계에서 패션이 어떤 모습이여야 하는지, 자기표현을 위한 가장 가까운 예술에 집착하여, 입는 즐거움을, 휘감는 천에 의지하는 인간의 모습을 볼 수 있다. 즉 당연한 일이지만 피부에 가장 가까운 옷의 디자인과 피부색과는 매우 큰 관련성이 있는 것이다. 어떤 의미에서는 피부색과 환경이 갖는 색이 디자인 중에서도 색채의 결정권을 갖고, 그 색과 문화가치관이 무늬를 만들어 왔다고 볼 수 있는 것이다. 동남아시

아에서는 그 나름대로 고유의 색과 무늬가 있는 것처럼, 유럽에서는 각 나라마다 전통 색과 무늬를 가지고 있다. 일본에서도 일본고유의 것이 있다. 세계인이 각각의 취향을 가지면서, 또 피부색과 자연환경에 맞추어 가면서, 타문화를 받아들여 독자의 것을 만들어 왔다. 그 중에서 가장 필자의 눈길을 끈 것이 아프리카 프린트였다.

아프리카 프린트에 눈 뜨다

아프리카 사람들이 프린트 천을 입기 시작한 역사는 그리 길지 않다. 기껏해야 100~150년 사이로 아시아, 유럽의 물류경제가 아프리카를 끌어들여 새롭게 전개해 온 것이다. 그러나 그 짧은 시간 속에서 만들어 낸 프린트 무늬의 변화와 다양성에는 놀랄만한 점이 있다. 폭

이 1m 정도의 한 장의 천에는 일찍이 볼 수 없었던 표현이 대담하게 나타나 있었고, 격동적인 강렬함과 즐거움이 함께 짜여 있었다.

필자가 아프리카 프린트를 처음 본 것은 국립민족학박물관의 상설전시장이었다. 그 내부에 벽걸이 같은 천이 걸려 있었는데, 거기에 그려진 주제와 색에 압도되었다. 필자는 미술계통 대학을 나와 디스플레이 회사에서 장시간 근무해 왔다. 마네킹 제작에 관심이 있어서 매우 많은 패션 디

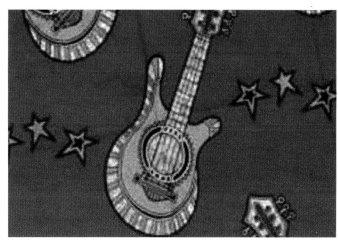

자이너와 협력활동을 해 왔다. 그 덕분에 훌륭한 직물작품을 가까이서 만져볼 기회가 많았다. 모든 기법을 포함해서 전통에서 현대의 고도로 발달된 기술까지 전부 파악하고 있는 꽤 관록이 있는 직물업계의 현상과 수정에도 관여해

[1] 아프리카 트린트 드레스를 입은 여성. 세네갈 다카르 (ⓒ요시모토 시노부 2005)

이 그것을 뛰어넘을 힘이 있다. 우리들로서는 생각할 수 없었던 대담한 주제와 재료가 세찬 기세로 몰려온다. 예를 들면, 다음에서 다루는 구체적인 사례에서 상상력을 발휘하길 바란다. 선풍기와 스프레이용 캔, 접시 위에 놓인 통닭 한 마리. 지금까지 우리들이 생각하지 못했던 주제와 재료가 주역으로 등장하고, 더구나 그 움직임마저도 독자적인 표현으로 나타난다. 피어오르는 수증기와 물, 언어와 바람과 전파마저도 직접적으로 표현하고 있다. 선풍기가 돌고, 그곳에서 나오는 바람은 볼 수 없는 것이지만, 기세 좋고 대담하게, 또 역동감을 한껏 표현하고 있다. 어느 정도로 강한 바람인지를 기술적으로 잘 표현하고 있다. 그리고 서늘함마저 느낄 수 있다. 이러한 주제와 재료를 어떻게 사용한 것일까? 그리고 선명하고 활기에 넘치는 그 색채감은 어떻게 표현할 수 있었을까. 무늬의 구성 방식에도 의문이라기보다는 오히려 커다란 흥미를 갖게 되는 것이 비단 필자만은 아닐 것이다.

아프리카 프린트를 알다

원래, 필자는 이들 아프리카 프린트가 아프리카 사람들이 생각해 내고, 또 만들었다고 생각했다. 옛 자바인들은 자바 바틱에 외부문화를 수용하고, 흥미로운 주제와 재료를 잘 활용하면서 독자적인 표현으로 승화시켰다. 모든 양식과 테마를 자신과 가장 가까운 피부에 제일 먼저 와 닿는 옷으로 유연하고 대담하게 구성해 왔다. 타문화를 가까

왔다. 그런데 지금까지 필자가 생각하고 있던 디자인 개념의 한 부분을 뒤집을 정도로 충격적인 것이 아프리카 프린트 속에 담겨 있었다. 필자가 쌓아온 직물개념과는 전혀 다른 세계를 눈앞에서 본 것이다.

디자인 개발은 휴식이 없는 향상의 이념 위에서 성립한다. 한걸음씩 계단을 오르는 성실한 작업 속에서 완성도나 시대성, 합리성과 경제성 등이 필요조건으로 쌓아지게 마련이다. 반복되는 기획, 개발 속에서 멈추는 일이 결코 없는 '물건 만들기'의 본질이 여기에 있다. 예술성 등도 그러한 중요한 요소이다. 아프리카 프린트에는 그와 같은 개념에 새로운, 나아가 엄청난 요소를 제공했다고 생각한다.

일상에서 흔히 볼 수 있는 하찮은 것이 생동감 넘치게 우리들에게 다가온다. 마치 예술성과 완성도 등을 비웃는 듯

이에 두고, 또 자기표현을 의복을 통해 활용한 것이다. 그러나 조사해 가면서 아프리카의 경우는 그렇지 않다는 점을 알게 됐다. 자바에는 긴 시간동안 배양된 기술 위에서 자신들만의 디자인을 전개했다. 그것에 비해, 아프리카에서는 직물을 만드는 기술을 말하기 보다는, 식민지 정책의 일환으로 종교와 문화 등의 전승의 의미를 함축시키면서 의도적으로 이루어진 것이다. 문자와 말이 아닌 직물의 무늬와 색을 통해서 유럽의 요소를 전달하는 역할을 디자이너가 담당했다고 말할 수 있다. 결국 아프리카 프린트의 디자인은 유럽을 중심으로 한 이문화의 디자이너를 통해 이루어지고 제작되어 왔던 것이다. 그들 직물전문의 디자이너가 시장을 확인하면서 독자적인 테마와 색과 무늬를 만들어낸 것이다. 여기서 궁금한 점이 생긴다. 그 정도의 디자인 소스가 그들 유럽의 디자이너에게 갖춰져 있었을까? 그리고 그 다양함에다가 천재라고 밖에 볼 수 없는 디자인 전개가 어떻게 가능했을까? 이전에는 생각할 수도 없던 일이 아프리카 프린트에서 일어난 것이다. 그곳에는 피부색과 자연환경, 문화에 대한 개념의 상징적이라고 할 만한 표현이 대담하게 존재하고 있다. 크게는 식민지 정책과 유통경제에 커다란 원인이 감춰져있지만, 그것이 디자인의 세계에 이정도로 영향을 줄 수 있었을까 라고 놀라운 마음으로 지켜보게 된다.

아프리카 프린트를 생각하다

18, 19세기에 영국과 네덜란드 등 유럽열강은 식민지 정책을 통해 아시아에 커다란 시장개발을 시도했는데, 산업혁명 이후의 유통에는 놀랄만한 기세가 있었을 것이다. 아시아의 바틱이 유럽에서 제작되고 전통무늬와 새로운 디자인 무늬가 세계 속에 유통되기 시작하자, 프린트 기술의 발달에 따라 점점 생산량을 늘리고, 아시아에 머물지 않고 아프리카에도 대형의 시장개발이 이뤄졌다. 이문화(異文化)에 대한 흥미는 동서고금을 가리지 않고 존재하는 것으로 엄청나게 시장이 활성화한 것이다. 수요와 공급의 발전은 디자인의 다양성을 창출했고, 그 속에서 살아남은 것이 디자인 양식과 고유의 브랜드로서 남게 된 것이다.

원래 아프리카를 대상으로 한 천은 전통적인 자바 바틱과 유럽적인 천이었을 것이다. 그러나 수요의 증가와 식민지 정책 속에서 독자의 시장전개가 이뤄지고, 포교활동과 문자 교육을 포함시킨 디자인과 아프리카 사람들의 취향에 맞는 유럽문화의 디자인이 이뤄졌다. 아프리카 프린트는 1850년대에 서아프리카에 전해졌다는 기록이 있지만, 20세기 초부터는 유럽의 전문매장의 샘플 책에 붙

[2] 나이지리아의 수도 라고스의 시장 (ⓒ요시모토 시노부 2005)

여진 프린트의 조각에서 매우 흥미로운 자료를 볼 수 있었다. 디자인 개발은 수요에 맞춰 이뤄지게 마련이지만, 그 독자의 디자인은 크게 몇 개의 그룹으로 구분된다. 하나는 전통적인 자바 바틱을 모티프로 사용한 색과 무늬의 전개, 두 번째는 기독교 등 종교를 모티프로 한 독자적인 디자인, 세 번째는 약간 짧은 천인 키탄게에 나타난 독자적인 무늬의 전개, 그리고 마지막으로 필자가 가장 맘이 끌리는 키치 무늬이다. 특히 현재 주목을 받는 '아프리카 프린트'라 불리는 텍스타일은 대개 이 키치 무늬이다.

이 키치한 디자인은 유럽에서 20세기 초부터 나타나는 프린트에서 볼 수 있다. 원래 동경과 기원, 기념적, 교육적, 교훈적 등 구체적으로 표현한 것이 많고, 지금까지 시도되지 않았던 독특한 것이 모티브로 출현한 것이다. 특히 1960년 이후, 물류경제의 성황이 최고점에 달하고, 세계적인 호경기 속에서 수요가 가속화됨과 동시에 재미있고, 우수한 무늬가 양과 질을 모두 압도한 것이다. 네덜란드의 블리스코사에서 현재 보존하고 있는 엄청난 수의 샘플은 그 흔적을 자세히 볼 수 있는 한 예이다. 블리스코사는 1846년에 건립되어 지금도 아프리카를 중심으로 새로운 프린트 천을 구상하고 있는 대표적인 왁스프린트 회사이다. 광대한 토지에서 융성함을 이룬 업적이 기록 속에 정리되어 있고, 이후 끊임없이 이어온 집적의 보존에는 경의를 표할만하다. 지금도 자료정리가 진행되고 있으며, 5만점이 넘는 다양한 색상의 샘플을 생생하게 눈으로 확인할 수 있다. 정연하게 늘어선 샘플들을 체크하자니, 인상에 남는 아프리카 프린트의 대부분이 이곳 제품이란 것을 이해하겠다.

디자이너의 아프리카 프린트

우리들이 매우 흥미로운 대상이라고 선정한 디자인을 만든 사람이 지금도 건재하다는 사실에 놀랍기도 하지만 다행스런 일이기도 하다. 1970년대부터 블리스코사에서 디자인을 담당했고, 1983년에 바로 그 선풍기 디자인

을 만들어 낸 티오 매스(Theo Mass)는 여생을 자료정리를 하며 보내고 있지만, 그 성품에서 여유롭게 인생을 즐기고 있음을 알 수 있었다. 또 외부 디자이너였던 조각가 Jos Reniers도 작풍에서 나타나는 분위기로 보아 틀에 구속받지 않는 유쾌한 사람임을 알 수 있다. 그들이 나타내는 표현의 공통점은 마음이 자유롭다는 점이다. 잘 팔리는 상품을 만들어야겠다는 사명감이나, 책임감이 감성과 기술의 완성도를 요구하는 방향과는 다른 대범함이 있다. 색의 바램을 감추면서 동시에 형태를 확실히 잡기 위해 사용한 진한 감색의 덧칠, 과감한 대형무늬의 모티프, 선명하고 활발한 색채, 현실보다 이미지를 우선한 디자인 처리 등, 많은 부분에서 공통된 양식이 떠오른다. 여기에 종래의 직물 디자인의 개념을 초월한 흥미로움이 있다. 마치 어린아이의 그림을 보는 것처럼 솔직하고 천진난만한 표현이 가능했던 이유를 디자이너의 자유로운 마음이라고 필자는 보았지만, 그 이유는 역시 식민지 개념과 아프리카 사람이 가진 피부색이었다고 확신한다. 즉 디자인을 뒷받침한 중요한 요소가 피부색에 있다. 원색에 가까운 자연환경 속에서 아름답게 빛나는 검은 피부. 명쾌하고 눈에 띄는 피부에 뒤지지 않는 옷, 아프리카 프린트 중에서 특히 키치한 것이야말로 그들 옷에 정말 잘 어울린다. 소란스런 시장 풍경 속에 자연과 동떨어진 풍경이 눈앞에 펼쳐진다. 사람들의 활기 속을 아프리카 프린트가 마치 무대장치처럼 우글거린다. 이것은 마치 아프리카다운 필연성을 가진 정경이자, 그곳에 감춰진 디자인의 앞으로의 모습을 눈으로 확인할 수 있는 생생한 비주얼 디자인의 보고인 셈이다.

원래 디자이너는 시장이 무엇을 필요로 하는지를 상상해서, 잘 팔릴만한 물건을 전제로 해서 작품구상을 한다. 또 시장의 꿈을 상상하면서 그 꿈을 실현하기 위해 노력한다. 그 책임감과 사명감에는 큰 압박감이 따른다. 아프리카 프린트에도 이런 압박감이 있었겠지만, 작품에서는 느낄 수 없다. 제약이 없는 디자인은 당연히 없겠지

만, 1980년대 일본의 버블 시기처럼 만들면 팔리고, 새롭게 하면 팔렸던 상황에 가까운 것은 아닐까. 대량생산형의 천은 기술의 발달에 따라 보다 선명하게, 고도의 기술로 제작되었고, 그리고 손으로 만든 것 보다 저렴하게 만들 수 있게 된 것이다. 만들면 팔린다는 것은 디자이너에게는 행운이다. 더구나 바느질을 하지 않아도 되는 한 장의 천이다. 위험이 적고, 재고 걱정이 없는 이 상품개발은 디자이너에겐 매우 기쁜 요인이었다. 조사에 따른 시장의 의견에 휘둘리지 않고, 서양문화와 종교가 가진 요소를 같이 엮어 넣는 것을 즐겼다. 그리고 무엇보다도 대상인 사람들에게 서양적인 패션 감각이 침투하지 못했다는 홀가분한 마음이 있다. 이러한 점이 자유롭고 대담한 디자인의 발굴로 이어졌다고 여겨진다. 실제로 활기 넘친 무늬와 제작환경이 이 정도로 커다란 영향을 갖는 것인지 새삼스럽게 느껴졌다. 보기에 좋고 양식을 쫓아가는 것이 아니라, 한 순간의 찰나를 그대로 형태로 표현하거나, 다양한 색의 조합을 시도해 보는, 마치 아프리카 음악의 경쾌한 템포와 리듬을 함께 합친 작업처럼 느껴졌다. 그 표현 속에는 현재의 디자인이 잊고 있던 솔직하고 직선적인 표현이 가슴을 울린다. 표현의 강렬함이 확실히 존재하는 것이다.

그리고 결코 잊지 말아야 할 것은 그 아프리카 프린트를 착용하는 아프리카 사람들의 절대적인 지지이다. 이문화를 받아들이고 그것을 훌륭하게 자신들의 것으로 삼은 융통성이야말로 가장 값진 것이다. 피부색이나 미의식, 가치관이 그것을 받아들여 훌륭하게 꽃피운 점은 일찍이 자바 바틱에서 일어난 위대한 배합과도 공통되는 것이다. '옷'이라는 가까운 곳에 있는 예술이

사람이 해야 하는 일에 중요한 역할을 담당하고, 얼마만큼 문화면에서 경제를 지탱해 왔는가를 생각해 보면, 디자인이 가진 역할의 위대함이 새삼 느껴진다.

현재 모든 제조과정에서 키치한 아프리카 프린트가 시사하는 디자인성에 더욱더 주목해야 할 것이다. '키치(독어 Kitsch)'라는 의미에는 모조품이나 저속한 의미도 있지만, 종래의 개념을 깰 힘을 가졌고, 사람들에게 즐거움과 기쁨을 직접 전달하는 예술의 중요한 요소를 지닌 것으로 이 말을 공유하고자 한다. 현대미술에서도 그 경향이 헌저하지만, 자극적이고 마음이 해방되는 느낌이 드는 '물건 만들기'가 앞으로 요구될 것이기 때문이다.

이렇게 본다면 새삼스럽게 아프리카 프린트는 현대사회의 생활상에 돌을 던지는 면이 있다. 식민지정책에서 시작된 자연환경과 피부색의 필연성을 발판으로 삼아 커다란 전개를 보인 아프리카 프린트. 지금부터의 현대사회가 키치 디자인의 아프리카 프린트에서 배울 점은 예술과 디자인계뿐만 아니라 이 세계의 모든 제조과정에 영향을 주면서 성장해 갈 것이라는 점이다.

[3] 아프리카 트린트가 나온 포스터. 나이지리아 라고스 (ⓒ요시모토 시노부 2005)

프린트 바틱으로 본 모방의 실태

요시모토 시노부(국립민족학박물관 교수)

'모방'이라는 단어에는 마이너스의 이미지가 내포되어 있다. 현대의 자본주의 사회에서 디자인의 모방이라는 것은 지적 재산권을 침입하는 문제이며, 프린트 바틱 간의 디자인 모방 문제로 재판에서까지 자주 다툼이 일어난다.

그러나 '모방'은 '흉내 내면서 배우는 것'으로, '배워서 익히는 것'인 '학습'과 비슷한 말이기도 하다. 따라서 모방이야말로 창조의 원천이라는 점 또한 사실이다. 이러한 '모방'과 '창조'의 상관관계는 자바 바틱의 디자인에서 보이는 '위대한 배합' [吉本 1993: 132-133] 이라는 독자성에서도 시사된다.

자바에 전래된 자바 바틱을 본뜬 프린트 바틱

19세기 전반부터 2세기 중반까지, 자바에 전래되었던 자바 바틱의 디자인을 본뜬 프린트 바틱 중에는 색채와 디자인에 다수의 배합을 첨가해서, 원래의 자바 바틱과는 다른 취향을 가진 프린트 바틱 외에, 자바 바틱의 디자인을 거의 완벽하게 베껴서, 원래의 자바 바틱과 구별하기 어려운 모조품인 프린트 바틱이 있다. 그러나 자바 바틱은 양면염색의 천이라는 점에 특징이 있어서, 천의 한쪽 면(겉면)만 물들이는 일반적인 프린트 바틱은 뒤집어 보면, 금방 모조품임을 알 수 있다.

한편, 자바 바틱을 모방한 프린트 바틱 중에는 아마도 1850년대부터 양면염색이라는 특수한 프린트 바틱이 만들어졌는데, 이를 원래의 자바 바틱과 구별하기란 매우 힘든 일이었다.

다만, 자바 바틱을 모방한 겉면염색과 양면염색의 프린트 바틱 중에는 갈라진 밀랍 사이에 액체염료가 스며들어 염색된 거북등 무늬를 천의 무늬처럼 디자인한 것을 자주 볼 수 있다. 자바 바틱에는 밀랍이 갈라져 그 사이로 염료가 침투하여 천에 거북등 무늬가 나타는 것은 단호하게 불량품으로 여겨왔다. 이와 같은 점에서 보아, 프린트 바틱에 군이 거북등 무늬를 표현한 것은 날염이 아닌 프린트 바틱을, 거북등 무늬를 통해 마치 날염 그 자체인 것처럼 보이게 하려는 의도가 있었다고 생각된다.

따라서 양면염색이라도 거북등 무늬가 특히 눈에 띄는 것은 대부분 프린트 바틱이라고 할 수 있지만, 반대로 거북등 무늬가 없는 양면염색 프린트 바틱의 대부분이 진품인 자바 바틱인지, 혹은 프린트 바틱인지 쉽게 판단하기 어려울 정도로 완성도가 높아서, 고도의 프린트 기술에 놀랄 따름이다.

프린트 바틱과 자바 바틱의 성쇠

19세기부터 20세기에 걸쳐 유럽과 일본에서 자바로 수출한 프린트 바틱에는 자바 바틱 외에도, 인도 바틱을 비롯한 다양한 염직물의 디자인을 모방한 상품이 얼마간 있다는 것을 쉽게 발견할 수 있다. 이들이 시장에 나와 그 판매율이 높아지게 되면, 즉시 다른 프린트 회사에서 그 디자인을 모방하곤 했다. 유럽과 일본의 프린트 산업은 자바 바틱 외의 염직물뿐만 아니라, 그들 염직물을 모방하여 만든 프린트 바틱의 모방도 반복해 가면서, 자바를 중심으로 한 아시아 시장에서 경쟁해 왔다. 그러나 19세기 전반부터 20세기 전반까지의 사이에, 이들 프린트 바틱이 자바 바틱의 시장을 압박할 만큼 위협적인 존재는 아니었다. 오히려 자바 바틱의 디자인을 본뜬 프린트 바틱의 유입은 세키모토(関本照夫)의 지적(82페이지 참조)처럼, 지금까지 궁정을 중심으로 발전해 온 자바 바틱이 대중화로 전개되는 계기가 되었고, '짭'(밀랍의 압축용 도구)의 도입에 따른 자바 바틱의 보급품, 즉 날염의 프린트 바틱의 대량생산이라는 자바 바틱 산업에 새로운 발전을 가져왔다고 볼 수 있다. 그리고 제2차 세계대전 후의 1950년대에 일본에서 생산한 프린트 바틱이 유입되어 유럽산 프린트 바틱을 압도할 만큼 성장하면서 자바 바틱 시장을 조금씩 압박하자, 인도네시아 정부는 바틱의 수입금지 조치를 발령하였다. 그러나 실질적으로 자바 바틱이 프린트 바틱을 능가한 시기는 1990년대 후반이었다. 그 계기가 된 것이 1970년대에 발흥한 자바의 프린트 산업에 따른 자바 바틱을 똑같이 본뜬 프린트 바틱의 생산이었다.

또 1970년대는 동남아시아 대륙부에서도 프린트 산업의 여명기였으며, 이 시기부터 태국과 말레이시아에서는 자바 바틱의 사롱(통형 스커트) 디자인을 그대로 본뜬 프린트 바틱을 제작하였다. 이들 상품은 동남아시아와 네팔의 여성들이 착용해 온 전통적인 의상과 교체될 새로운 일상복과 세련된 제품으로서 보급되어 있다. 그리고 1980년대 이후, 인도네시아와 태국에서는 아프리카를 겨냥한 프린트 바틱의 생산도 시작하고 있어서, 자바 바틱 산업의 쇠퇴와는 반대로 프린트 산업은 근년에 이르러 새로운 발전을 계속하고 있다.

아프리카에서의 프린트 바틱의 모방

유럽에서 아프리카로 프린트 바틱이 수출되던 시기는 19세기경이라고 할 수 있다. 그 후 지금까지 아프리카에서 유통되어 온 프린트 바틱은 유럽제국에 이어, 일본, 인도, 태국, 중국까지도 수출되었고, 20세기 후반 이후에는 아프리카에서도 생산하기 시작했다. 이들 프린트 바틱의 디자인은 실로 다양한데, 특히 자바 바틱 디자인의 모방은 19세기 후반부터 지금까지 계속되었고, 아프리카 프린트 바틱의 주요한 디자인으로서 그 위치를 지켜왔다. 다만, 아프리카 프린트 바틱 중에서 발견되는 자바 바틱을 본뜬 디자인으로는 자바 바틱의 단위무늬를 연속무늬로 한 것이 대부분이며, 자바 바틱의 스커트나 사롱 등의 디자인을 완전히 모방한 예는 드물다.

다만, 아프리카에서 유통된 프린트 바틱의 디자인 중에서도 유럽을 비롯한 프린트업계 아래에서 모방을 반복해 온 것이 눈에 띈다. 특히 키치 디자인에서는 그러한 모방이 매우 두드러지며, 새로운 디자인이 호평을 받게 되면, 바로 그것을 본뜬 프린트 바틱이 시장에 쏟아져 나왔다. 예를 들면, 선풍기와 스프레이를 표현한 프린트 바틱 〈81, 84〉은 네덜란드의 블리스코사 제품을 모방한 것이

다. 또 알파벳, 숫자, 칠판, 교과서, 자, 연필 등을 표현한 디자인 〈85〉과, 손과 손가락을 표현한 디자인 〈87〉은 약 100년 사이에 반복해서 시장에 쏟아져 나온 디자인으로, 스위스 부비에 컬렉션의 1910년대에 서아프리카의 수출용 바틱의 샘플 중에는 〈85〉와 유사한 디자인 〈43〉도 보인다. 그렇지만 이러한 프린트 바틱의 모조품은 완전히 그대로 베꼈다고 할 만한 것은 없고, 자세히 비교해 보면, 대부분 부분적으로 얼마간의 배열이 추가되어 있는 경우가 많다. 그렇다고 해도 거의 모방에 가까운 것도 있는데, 일찍이 일본에서 동아프리카로 수출하고 있던 프린트 바틱(캉가)을, 다른 외국의 프린트 회사가 그대로 모방하여 아프리카로 보냈다는 예도 있다 [1].

제조처와 그 외의 부실기재

오늘날 인도네시아, 동남아시아 대륙부, 네팔, 아프리카 등지에서 상품으로 판매되는 프린트 바틱에는 보통 한 점마다 레벨이 붙어 있고, 상품명, 등록상표, 그 밖의 기재가 있다. 또 프린트 바틱 천의 단에도 상품명과 프린트 디자인의 등록번호 등이 프린트되어 있다. 이미 서술한 것처럼 프린트 바틱의 디자인에서 완전한 모방품이라 부를 만한 것은 비교적 적다. 그러나 대형 프린트 회사 이외의 제품에 붙어있는 상표의 기재사항과 단 부분에 프린트된 사항에는 대부분 부실기재가 확실한 것과 대형 프린트 회사의 로고를 모방한다거나, 대형 프린트 회사의 제품을 연상시키는 기재가 빈번히 일어나고 있다. 여기서는 동남아시아와 아프리카에서의 구체적인 사례를 일부만 소개한다.

동남아시아의 대륙부와 네팔에서 유통되고 있는 프린트 바틱의 사롱의 상표에는 자바 바틱, 혹은 날염을 의미하는 Batik(바틱)이라는 이름을 집어넣고, Batik, Natik Halus(매우 세밀한 바틱) [2], Batik Asli Indinesia(인도네시아산 진품 바틱), Batik As Indonesia(인도네시아 풍의 바틱) 등 다양한 기재가 있

[1] 케냐의 몸바사에서 2000년에 수집한 일본에서 만든 캉가를 똑같이 모방한 캉가(위)와, 가장 자리 부분에 나타난 프린트 표기(아래). 국립민족학박물관 H223858

[2] 라오스의 비엔짱에서 2006년에 수집한 자바 바틱의 사롱을 모방한 프린트 바틱의 상표. 국립민족학박물관 H236564

[3] 태국의 방콕에서 2006년에 수집한 자바 바틱의 사롱을 모방한 프린트 바틱의 상표. 국립민족학박물관 H236587

[4] 카메론의 두아라에서 2005년에 수집한 자바 바틱을 모방한 프린트 바틱(도71)의 상표. 국립민족학박물관 H236176

[5] 네덜란드의 블리스코 사와 영국의 ABC왁스 사의 로고를 모방한 아시아의 어느 나라에서 만든 아프리카 수출용의 프린트 바틱(2006년)

[6] 나이지리아의 대형 프린트 회사의 가짜 상표를 붙인 아시아의 어느 나라에서 만든 아프리카 수출용 프린트 바틱(2006년)

다. 또 인도네시아 제품이 아님에도 불구하고, 자바 바틱의 산지인 자바의 솔로나 쁘깔롱안의 명칭과 함께 전화번호를 기재한 것도 많지만 인도네시아에 없는 번호가 대부분이다 [3].

한편, 아프리카에서는 네덜란드의 블리스코사와 영국의 ABC왁스사에서 제작한 방염 바틱, 즉 왁스프린트는 최고급 프린트 상품으로 유명하다. 그래서 왁스프린트에서는 네덜란드의 블리스코사 제품이 아닌데도, 상표에 SUPER-WAX BLOCK PRINTS HOLLAND PRINT AS VLISCO(네덜란드 블리스코 풍의 슈퍼 왁스 블록 프린트)라고 기재하는 예 [4], 블리스코사와 ABC왁스사의 로고를 집어넣어서, VERITABLE WAX HOLLANDAIS VLISCO(네덜란드 블리스코의 정품 왁스), VERITABLE WAX MADE AS ENGLAND(영국풍 정품 왁스)로 한 예 [5] 등이 있다. 또 이 외에 나이지리아의 대형 프린트 회사 니쳄텍스 인더스트리(Nichemtex Industries Ltd.)의 상표가 아시아의 어느 나라, 어느 프린트 회사 제품의 레벨로 완전히 도용된 예 [6]도 확인된다.

이들은 모두 기타 프린트 회사가 경합하는 프린트 바틱 시장에서 살아남기 위한 판매전략으로 성행하고 있다. 이러한 상황은 원래 정당한 경제활동이라 할 수 없지만, 다른 한편에서는 프린트 산업이 모방을 반복하고, 새롭게 배합해 가면서 새로운 프린트 바틱을 아시아 및 아프리카의 시장에 끊임없이 발신하고 있다는 사실이다. 옛날이나 지금이나 모방이야말로 창조의 원천이 되고 있는 것이다.

라고스의 시장에서 판매되던 프린트 바틱. 라벨에는 제조처나 제작한 회사에 대한 정보는 없지만 대부분 인도제품으로 추정된다.

참고문헌

Arx, van Rolf., Davatz, Jürg., und, August. 2005 Industriekultur im Kanton Glarus. Glarus. Glarus: Verein Glarner Industrieweg GIW.

浅田 実. 1984.『商業革命とインド貿易』京都: 法律文化社.

ベルナール・ミュレ. 2006.「ジャンルが工作するパポォーマンス―演劇から儀式へ、あるいは混沌の美学」飛鳥隆信 訳.『アフリカ・リミックス』展図録. 森美術館.

Brody, Anne Marie. 1990. Utopia: A Picture story, 88 Silk Batiks from the Robert Holmes a Court Collection. Perth: Heytesbury Holdings.

Burton, Richard. 1860. The Lake Region Of Central Africa (1). London: Longman.

大同染工. 1962.『大同染工の20年』.

Dunsmore, Susi. 1993. Nepalese textiles. London: British Museum Press.

Fair, Laura. 1998. Dressing up: Clothing, Class and Gender in Post-Abolition Zanzibar. Journal of African History 39(1): 63-94.

外務省通商局編. 1914.『通商公報』128.

外務省通商局編. 1921.『通商公報』855.

Gemeentemuseum Helmond. 1989. Katoendruck in Nederland. Den Haag: CIP-Gegevens Koninklijke Bobliotheek.

Guy, J. 1998. Woven Cargoes: Indian Textiles in the East. New York: Thames & Hudson.

Hanby and Bygott. 1984. Kangas-101 Uses. Kibuyu partners.

Hansen, K.T. 2000. salaula: The World of seconf Clothing and Zambia. Chicago: University of Chicago Press.

Hepbum, Sharon. 2000. The Cloth of Barbaric Pagans: Tourism, Identity, and Modernity in Nepal. Fashion Theory 4(3): 275-300.

Herskovits, Melville J. 1973. Problem, Method and Theory in Afroamerican Studies. In Comiras, Lambros and Lowenthalm David (eds.) Work and Family Life. New York: Anchor Books:247-270. Originally Appeared in Afroamerica vol. I , 1945:5-24. Mexico: International Institute of Afroamerican Studies.

Hilliard, Winifred M. 1968. The people in Between: the Pitjantjatjara people of Ernabella. New York: Funk & Wagnalls.

Irwin, John. 1996(1959). Note and Comments, The Ethymology of Chinz and Pintado. Journal of Indian Textile History (4). Ahmedabad, India: Calico Museum of Textiles.

伊藤忠商事. 1969.『伊藤忠商事100年』.

金谷美和. 2005.「インド・ムスリムの生業における親族と姻族ネットワークの重要性―クジャラートのコミルニティの実例」,『国立民族学博物館研究報告』29(4). 551-586.

笠井靖夫 編. 1957.『繊維輸出市場の意匠傾向』大阪: 日本繊維意匠センター.

笠井靖夫 編. 1958.『アフリカの繊維意匠』大阪: 日本繊維意匠センター.

笠井靖夫 編. 1960.『バティック』大阪: 日本繊維意匠センター.

河上繁樹, 藤井健三. 1999.『織りと染めー日本編』京都: 昭和堂.

川勝平太. 1991.『日本文明と近代西洋』東京: NHKブックス.

神戸市立博物館 編. 1984.『更紗の世界展 インドから東へ、西へ一華やかな染色の美』神戸市立博物館.

小山修三. 1992.『狩人の大地ーオーストラリア・アボリジニの世界』東京: 雄山閣出版.

南眞木人. 2005.「クルター・スルワールの流行とその含意ーネパールのファッション」杉本良南・三尾稔 編『装うインドーインドサリーの世界』千里文化財團. 98-99.

Murphy, Veronica and Rosemary Crill. 1991. Tie-Dyed Texiles of India: Tradition and Trade. London: Victoria and Albert Museum in association with Mapin Publishing.

長岡新吉 編. 1988.『近代日本の経済ー統計と概説』京都: ミネルヴァ書房.

長島弘. 2000.「インド洋とインド商人」羽田正 編『岩波講座世界歴史 14 イスラーム・インド洋世界16-18世紀』東京: 岩波書店.

南洋協会. 1925.『南洋協会雑誌』11(10).

National Museum of Australia and David Kaus. 2004.

Ernabella Batiks : in the Hilliard Collection of the National Museum of Australia. Canberra, A.C.T. : National Museum of Australia Press.

日本機械捺染史刊行会 編. 1943.『日本機械捺染史』京都: 日本捺染史刊行会.

日本繊維意匠センター 編. 1984.『輸出繊維意匠の推移 (昭和20年-54年)』大阪: 日本繊維意匠センター.

日本圖案家協會 編. 1981.『染織文化展ーミルルーズ染織美術館コレクションカタログ』東京: 日本圖案家協會.

西澤司郎. 1983.『ひとりごと』大阪: マトリックス.
農商務省 編. 1919.『農商務省第六回工藝展覽會圖案』東京: 畫報社.

大蔵省 編. 1991.『大日本外國貿易年表 明治42年』東京: 東洋書林.

大蔵省 編. 1991.『大日本外國貿易年表 明治45年・大正元年』東京: 東洋書林.

大蔵省 編. 1992.『大日本外國貿易年表 大正4年』(上下巻) 東京: 東洋書林.

織本知英子. 1998.『カンガに魅せられて: 東アフリカの魔法の布』東京: 連合出版.

Picton, John. 1995. Technology, Tradition and Lurex: The Art of Textiles in Africa. The Art of African Textiles: Technology, Tradition and Lurex. London: Barbican Art Gallery, Lund Humphries Publishers.

Picton, John. 1995. The Art of African Textiles: Technology, Tradition and Lurex. London: Barbican Art

Gallery, Lund Humphries Publishers.

Price, Richard and Sally. 1980. Afro-American Arts of the Suriname Rain Forest. Berkeley: University of California Press.

Raffles, Thomas Stamford. 1978(1817). The History of Java. Kuala Lumpur: Oxford University Press.

Raffles, Thomas Stamford. 1978(1817). The History of Java (2). Kuala Lumpur: Oxford University Press.

Rovine, Victoria. 2000. Renewing Tradition: The Revitalization of Bogolan in Mali and Abroad. The University of Iowa Museum of Art.

Rovine, Victoria. 2001. Bogolan: Shaping Culture through Cloth in Contemporary Mali. Smithsonian Institution Press.

S. D. チャップマン. 1990.『産業革命のなかの綿工業』佐村明知 譯. 京都: 晃洋書房.

関本照夫. 2000. 周緑化される伝統一バティックから見るジャワの近代」『民族学研究』65(3): 268-284.

工川寛治. 1999.『「資本論」と産業革命の時代一マルクスの見たイギリス資本主義一』東京: 新日本出版社.

田村眞知子. 1982.『親と子のネパール探検』東京: コンパニオン出版.

富永智津子. 2001.『ザンジバルの笛一東アフリカ・スワヒリ世界の歴史と文化』東京: 未来社.

東洋紡績. 1953.『東洋紡績七十年史』.

東洋紡績. 1986.『東洋紡績百年史』(上下卷).

東洋染色. 1947.『東洋染色十年史』.

Van der Kraan. 1996. Anglo-Dutch Rivalry in the Java Cotton Trade, 1811-30. Indnesia Circle 68: 35-64.

Veldhuisen, C. Harmen. 1996. From Home Craft to Batik Industry. Fabric of Enchantment: Batik from the North Coast of Java. New York: Los Angeles Country Museum of Art.

家島彦一. 1993.『海が作る文明一インド洋海域世界の歴史』東京: 朝日新聞.

吉本忍. 1993.『ジャワ更紗一その多様な伝統の世界一』(展覧会カタログ) 東京: 平凡社.

吉本忍. 1996.『ジャワ更紗』東京: 平凡社.

吉本忍. 1996.『知られざるインド更紗: 南海の島々インドネシアにおける発見』(展覧会カタログ) 京都: 京都書院.

渡變喜作. 1951.『綿系布の基礎知識』(増補改訂版) 大阪: 極東商事.

Watson, J. Forbes. 1866. The Textile Manufactures and Costumes of the People of India. London: George Edward Eyre and William Spottiswoode.

Wright, H. R. C. 1961. East Indian Economic Problems of the Age of Cornwallis & Raffles. London: Luzac and Co.

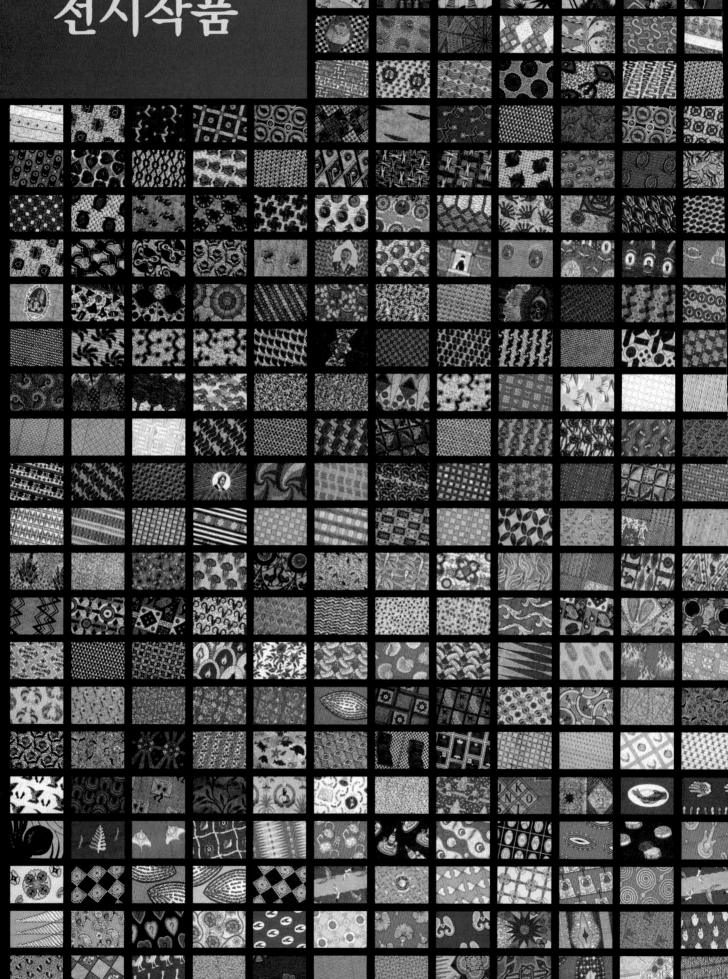

전시작품

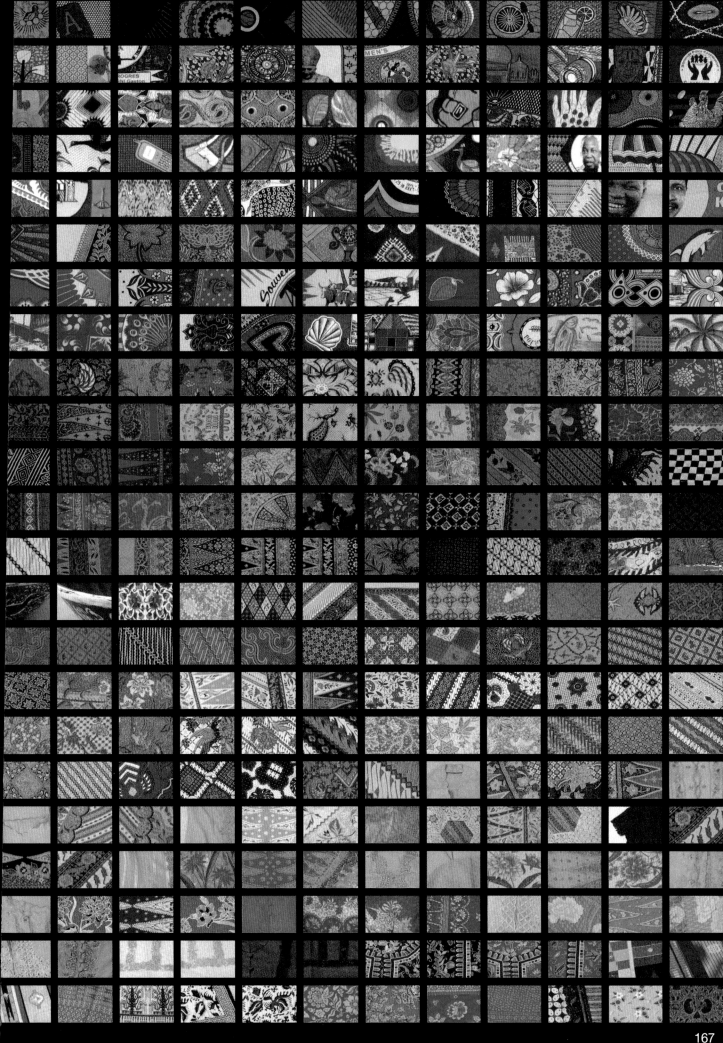

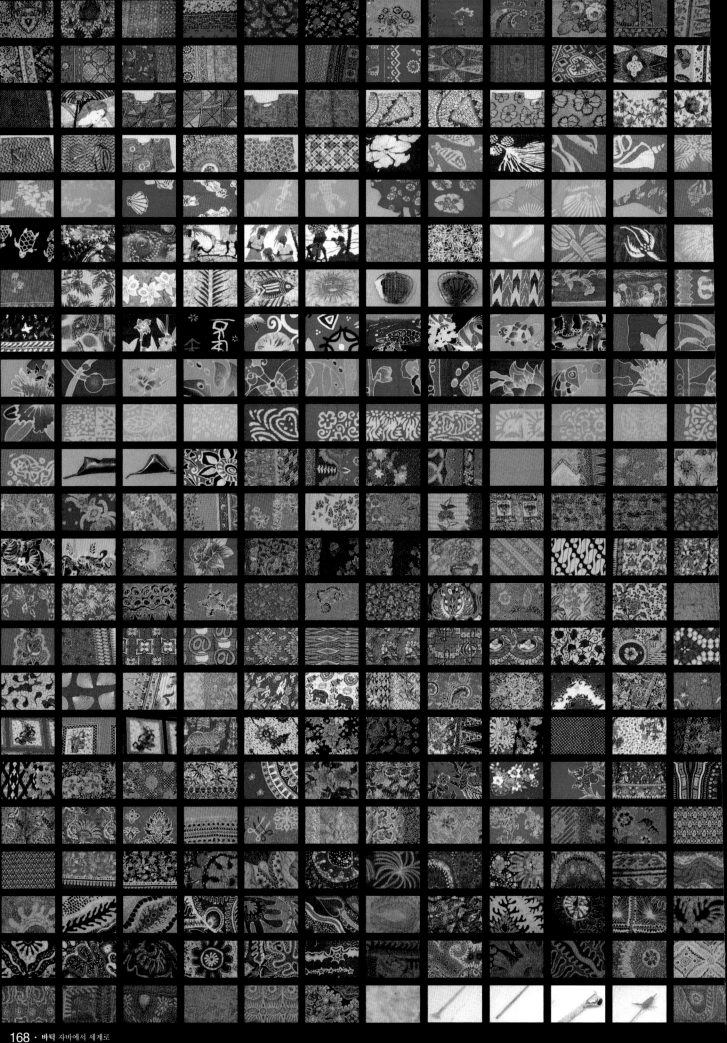

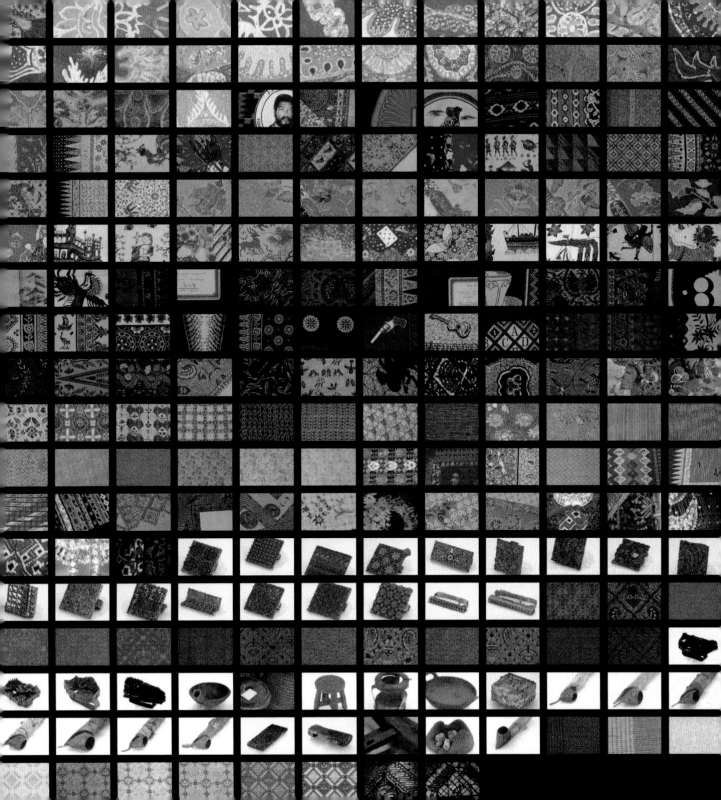